~~Cathia Dutil~~

Ce livre appartient à Mme R. Medhat

Québec 2016

D1059772

ÉCOLE DEGRASSI

Jean

Susin Nielsen

Traduit de l'anglais par
DENISE CHARBONNEAU

Données de catalogage avant publication (Canada)

Nielsen, Susin, 1964-

[Shane. Français]

Jean

(Degrassi).
Traduction de: Shane.
Pour les jeunes.

ISBN 2-7625-6456-5

I. Titre. II. Titre: Shane. Français. III. Collection:
Degrassi. Français.

PS8577.134S5214 1990 jC813'.54 C90-096161-9
PS9577.134S5214 1990
PZ23.N53Je 1990

Tous droits de reproduction, d'édition, d'impression, de traduction, d'adaptation, par quelque procédé que ce soit, tant électronique que mécanique, en particulier par photocopie ou par microfilm, sont interdits sans l'autorisation écrite de Les Éditions Héritage Inc.

Cette traduction a été possible grâce à une subvention du Conseil des Arts du Canada.

Shane
Copyright © 1989 by Playing With Time Inc.
publié par James Lorimer & Company, Publishers, Toronto, Ontario

Version française
© Les Éditions Héritage Inc. 1990
Tous droits réservés

Dépôts légaux : 1er trimestre 1990
Bibliothèque nationale du Québec
Bibliothèque nationale du Canada

ISBN : 2-7625-6456-5 Imprimé au Canada

Photo de la couverture :

LES ÉDITIONS HÉRITAGE INC.
300, Arran, Saint-Lambert, Québec J4R 1K5
(514) 875-0327

C'est autre chose et c'est tant mieux.

Ce livre est basé sur les personnages et le scénario de la série télévisée «Degrassi Junior High». Cette série a été créée par Linda Schuyler et Kit Hood pour «Playing With Time Inc.», sous la supervision de Yan Moore, auteur.

N'oublie pas de regarder l'émission Degrassi à Radio-Québec ainsi qu'à TV Ontario.

Chapitre 1

Jean McKay repoussait méthodiquement ses petits pois sur le bord de son assiette. Il détestait les petits pois mais sa mère lui en servait toujours sous prétexte que c'était «bon pour lui».

— Il fait très beau aujourd'hui, lança son père de derrière son journal.

— Oui, on a du mal à croire que c'est la fin de l'hiver, répliqua sa mère en levant les yeux de la lettre qu'elle était en train de lire.

Ils étaient attablés dans la salle à manger. Jean ne comprenait pas très bien pourquoi ils soupaient toujours dans la salle à manger, avec la vaisselle et les couverts de fantaisie, même lorsqu'ils n'étaient que tous les trois. Mais d'aussi loin qu'il pouvait se souvenir, il en avait toujours été ainsi. Ses parents aimaient que les choses ne changent pas.

Jean mangeait en silence. Il regarda ses parents à la dérobée sans qu'ils s'en aperçoivent, absorbés qu'ils étaient par leur lecture. Ils disaient souvent en riant que le repas du soir était le seul moment de la journée où ils pouvaient se mettre à jour sur ce qui se passait dans le monde.

Jean n'aimait pas le souper. C'était trop calme. La plupart du temps il engouffrait son repas et demandait la permission de se retirer. Mais pas ce soir.

Dans le coin de la pièce, la vieille horloge grand-père marquait les heures et Jean avait la nette impression que le tic-tac monotone allait en s'amplifiant. Il bougea sur sa chaise et se râcla la gorge pour couvrir le bruit un moment.

— Madame Carson a encore téléphoné aujourd'hui à propos de son fils, lança son père à la cantonade.

Son père était pasteur de la paroisse et il était toujours très occupé à conseiller ses fidèles.

— Oh! Je savais qu'elle le ferait, rétorqua sa mère. Je l'ai vue hier soir à la réunion des dames chrétiennes et elle avait l'air effondrée.

Jean se demanda s'il s'agissait d'un nouveau groupe. Sa mère faisait partie de tant de comités qu'il n'arrivait pas à tous les retenir. Ses parents étaient tous deux très admirés dans la paroisse et Jean en était très fier. Mais il lui arrivait de souhaiter qu'ils n'aient pas autant d'activités, car ils avaient peu de temps à lui consacrer.

Monsieur McKay baissa son journal et regarda

son fils, qui s'efforça de paraître naturel.

— Dis-moi, Jean, y a-t-il des jeunes, à ton école, qui prennent de la drogue?

Jean fréquentait l'école secondaire Degrassi, en plein coeur du centre-ville de Toronto. Lorsqu'il était entré en septième, l'an dernier, il s'était inquiété de toutes les rumeurs qui couraient à propos des drogues. Mais elles devaient être fausses puisqu'il n'avait même jamais vu de marijuana à l'école.

— Non, je ne crois pas.

— As-tu déjà entendu parler du *crack*?

Jean était parfois étonné que, malgré tout leur travail dans la paroisse, ses parents soient si loin de la nouvelle génération. Le *crack* était pourtant sur toutes les lèvres depuis longtemps. Mais comme il était bien élevé, il se contenta de répondre poliment que oui.

— Apparemment, ça commence à faire son apparition dans les écoles, continua son père.

Et, après un long soupir, il poursuivit :

— Ah! Je me fais peut-être vieux, mais on dirait que de nos jours, où que l'on regarde, on voit les jeunes essayer de se faire du mal d'une façon ou d'une autre.

Jean sentit son coeur battre si fort qu'il eut peur que ses parents l'entendent. Il plongea les yeux dans son assiette tandis que son père ajoutait :

— Ça me fait apprécier quel bon garçon tu es, Jean.

Il lança un regard inquiet à son père mais, à son

air serein, il vit qu'il ne se doutait de rien. L'allusion à sa vieillesse n'était pas qu'une phrase prononcée à la légère. Sa mère et son père étaient effectivement vieux. Ils avaient tous deux la cinquantaine et Jean venait tout juste d'avoir quatorze ans.

Le silence était retombé dans la pièce. Jean se mit à former un visage dans son assiette avec ses petits pois, et madame McKay rit en lisant sa lettre.

— Qu'y a-t-il, chérie? demanda son père.

— Ce Carl! rétorqua-t-elle. Il ne cesse pas de m'étonner. Que des A à l'université! Tu peux être fier de ton grand frère, Jean.

Jean eut un sourire forcé et baissa de nouveau le nez dans son assiette. Carl avait six ans de plus que lui. Il ne vivait plus avec eux depuis deux ans déjà mais Jean aimait se remémorer l'époque où il était là. La maison était toujours pleine de rires et le souper se passait toujours à discuter et à bavarder. Ses parents adoraient Carl, qui maintenant suivait les traces de son père et étudiait pour devenir pasteur.

— C'est bien notre fils! répliqua fièrement monsieur McKay.

Jean se rappelait le jour où Carl leur avait annoncé qu'il voulait devenir pasteur. Son père en avait eu le sourire aux lèvres pendant toute une semaine.

Jean essayait de toutes ses forces de ressembler à son frère. Il jouait dans les équipes de basket et de soccer de l'école, tout comme Carl avant lui. Il travaillait dur pour avoir les meilleures notes et, à chaque semaine, il donnait un coup de main à l'école du dimanche. Il aidait à la maison et sa chambre était toujours impeccable. Mais malgré tous ses efforts, il n'était jamais à la hauteur de Carl. Et ses parents, considérant sans doute qu'il devait réussir aussi bien que son frère, ne le félicitaient jamais. Ils avaient mis au monde un garçon qui avait réussi, ils s'attendaient donc à ce que le second en fasse autant.

Jean avait plusieurs théories à propos de ses parents. Par exemple, il se disait qu'ils n'avaient sans doute jamais imaginé avoir, à cette étape de leur vie, un adolescent à la maison. D'après lui, il était «une erreur». Même si ses parents n'avaient jamais rien dit, les faits parlaient d'eux-mêmes : il y avait six ans de différence entre Carl et lui, et ses parents étaient vieux.

À cause de leur religion, jamais l'idée de ne pas le mettre au monde ne leur aurait effleuré l'esprit. Mais il n'était pas le fruit de leur amour, comme c'était le cas de Carl. Lui n'était que le fruit d'une erreur de calcul. C'était du moins sa théorie.

Jean leva soudain la tête pour voir que sa mère le regardait d'un oeil désapprobateur.

— Ne crois-tu pas que tu aurais besoin d'une coupe de cheveux? demanda-t-elle. Je peux les voir friser sur ta nuque.

Les cheveux de Jean étaient blonds et courts, en tout cas certainement pas longs.

— Oui, tu as raison, fit-il.

Il avait horreur des discussions. Sur ce point, il tenait de ses parents. Mais des remarques de ce genre lui faisaient constater à quel point ils étaient enfermés dans leurs principes.

C'était parfois bizarre d'avoir des parents âgés. Quand les autres jeunes faisaient des blagues sur le fossé des générations, il comprenait mieux que quiconque. L'année dernière, à la réunion de parents, quelqu'un lui avait demandé s'il était avec ses grands-parents. Il s'était senti très embarrassé, surtout pour eux.

— La situation au Moyen-Orient ne s'améliore pas, lança son père sans lever les yeux de son journal. C'est toujours le chaos.

— Oui, renchérit sa mère. Nous pouvons nous estimer heureux de vivre dans un endroit si pacifique.

Jean lança un regard à sa mère, puis il baissa de nouveau les yeux sur le visage qu'il dessinait dans son assiette. Il ne lui restait plus que la bouche à tracer et, ramenant les petits pois vers le bas, il forma une moue.

Il n'avait jamais rien eu à cacher à ses parents, puisqu'il n'avait jamais rien fait de mal. Mais depuis qu'il était entré en septième, six mois auparavant, il leur avait fait plus de cachotteries que durant toute sa vie.

L'horloge grand-père le rendait fou. Il se sentait

sur le point d'exploser. Il n'avait pas avalé une bouchée; ça ne passait pas.

Tout ce qu'il avait toujours voulu, c'était d'être accepté, tant par ses parents que par les jeunes de l'école. Il ne tenait pas à être un champion de football, il savait qu'il ne découvrirait jamais le remède contre le cancer et il ne voulait pas devenir premier ministre. Il voulait simplement qu'on l'aime. Il voulait seulement être comme les autres.

Il avait pourtant cru être sur la bonne voie. Jusqu'à aujourd'hui.

Tout avait commencé lorsqu'il s'était mis à sortir avec Épine. Elle s'appelait en réalité Christine mais tout le monde l'appelait Épine à cause de sa coiffure extravagante qui tenait droit dans les airs. Elle était populaire et ravissante et Jean n'aurait jamais cru qu'elle le remarquerait mais c'était pourtant bien le cas.

Jean avait toujours été un solitaire. Il rêvait parfois d'être l'ami de Joey ou de Louis, deux des gars les plus décontractés de l'école qui savaient parler à tout le monde, même aux plus jolies filles. Lui, il pouvait à peine parler aux autres gars, alors les filles...

Il était plus grand que la plupart des garçons de son âge. Blond aux yeux bleus, il passait dans sa famille pour un beau garçon. Il n'y prêtait toutefois pas attention car, pensait-il, la famille dit toujours ce genre de choses. Mais quand il avait entendu dire qu'Épine le trouvait chouette, alors là...

C'était arrivé à peu près cinq mois auparavant, en septembre. Il était en train de travailler son jeu de jambes au terrain de soccer quand il avait vu arriver son ami Wai-Lee.

Il se sentait encore mal à l'aise quand il pensait à lui, car il l'avait en quelque sorte laissé tomber lorsqu'il s'était mis à fréquenter les amis d'Épine. Wai-Lee était pourtant un garçon gentil et intelligent mais, comme Jean, il n'était pas très populaire. Ils sortaient souvent ensemble les fins de semaine pour aller dénicher les derniers jeux vidéo. Mais dès qu'il avait eu la chance de se mêler à des groupes plus populaires, Jean en avait profité.

Donc, quand il avait vu Wai-Lee arriver, il s'était mis à bondir, à frapper le ballon en tous sens avec sa tête pour l'impressionner. Mais Wai-Lee pensait à tout autre chose.

— Je viens d'en entendre une bonne! lança-t-il.

Jean continuait à frapper le ballon avec sa tête.

— Ah oui? Quoi donc?

Attrapant le ballon au vol, Wai-Lee enchaîna sur le ton de la conspiration :

— J'étais à la bibliothèque. Épine était installée à une table tout près avec Estelle et Érica. (Estelle et Érica, qui étaient jumelles, étaient aussi les meilleures amies d'Épine.) Elles parlaient des garçons et Épine, l'élue de ton coeur...

— Elle n'est pas l'élue de mon coeur! s'emporta

Jean.

— Ouais, continua Wai-Lee avec un petit sourire narquois, tu es pratiquement en extase chaque fois qu'elle passe devant toi.

— C'est faux! cria Jean, tout en jetant un coup d'oeil autour pour être sûr que personne ne pouvait les entendre.

— Alors, pourquoi es-tu rouge comme une tomate?

— Parce que je me suis entraîné, c'est tout, grommela Jean.

— Bon. En tous les cas, laisse-moi finir. Épine s'est penchée vers Estelle et Érica et leur a dit : «Je trouve que Jean est le garçon le plus chouette de Degrassi.»

Wai-Lee souriait d'un air triomphant.

En rentrant à la maison ce jour-là, Jean avait l'impression de flotter. À partir de ce moment-là, Épine et lui ont commencé à se sourire timidement dans les corridors, pour ensuite aller jusqu'à se dire bonjour. Puis, au cours d'une danse à l'école, il osa l'inviter. Ils ont dansé toute la soirée et sont sortis plus tard main dans la main. C'est alors que Jean lui demanda, en essayant de cacher le tremblement de sa voix :

— Épine, voudrais-tu... qu'on sorte ensemble?

Il n'avait pas sitôt lancé la phrase qu'il aurait voulu la rattraper. Il n'était même pas sûr si les gens «sortaient ensemble», de nos jours. Ça lui semblait vieux jeu.

— Je veux bien, répondit Épine, à sa grande

surprise.

Elle lui souriait timidement tandis que lui était cloué sur place. Il ne savait plus quoi dire. Mais les mots ne servaient à rien; Épine se leva sur la pointe des pieds pour lui donner un baiser et Jean se sentit fondre. Puis il se pencha pour l'embrasser à son tour. C'était son premier vrai baiser.

Même après un certain temps, il devait se pincer pour être sûr qu'il ne rêvait pas. À vrai dire, ils n'avaient pas grand-chose en commun. Elle portait une veste de cuir noire et des bottes noires pointues, et connaissait par coeur la toute nouvelle musique. Jean, lui, portait les chemises à col boutonné et les chaussures sport que lui achetait sa mère. Question musique, il était nul. Mais il était béat d'admiration devant Épine, qu'il trouvait absolument magnifique.

C'est à peu près à cette époque qu'il laissa tomber Wai-Lee. Celui-ci l'appelait tous les samedis, comme d'habitude, pour l'inviter à venir au centre-ville. Mais Jean refusait à tout coup, jusqu'à ce que Wai-Lee cesse de lui téléphoner. Finalement, ils ne se saluèrent même plus à l'école. Avec le recul, Jean se sentait idiot. Il ferait n'importe quoi, aujourd'hui, pour avoir un tel ami. Mais Wai-Lee était déménagé à Montréal pendant les fêtes de Noël et, désormais, Jean était tout seul.

Il avait été surpris de découvrir qu'Épine était aussi timide que lui lorsqu'ils s'étaient mis à sortir ensemble. Ils allaient voir des tas de films, pour ne pas avoir à faire la conversation toute la soirée. Assis au dernier rang, ils se tenaient par la main et parfois se bécotaient. Un soir, dans un petit parc près de chez Épine, elle lui avait permis de s'allonger sur elle et il avait mis la main dans sa blouse. Ça n'avait duré qu'un moment, car elle l'avait repoussé et s'était levée, mais quel moment délicieux! Jamais il n'avait éprouvé pareille sensation.

Le fait de sortir avec Épine avait aussi d'autres avantages. Les jeunes à la mode commencèrent à le saluer puis, en novembre, quelque chose d'extraordinaire se passa.

Un jour, il était assis à son pupitre, avant le cours, lorsque deux mains douces se posèrent sur ses yeux.

— Salut, Jean. Devine qui c'est.

Il se retourna et sourit à Épine, en lui saisissant les mains.

— Que fais-tu samedi soir? demanda-t-elle.

— Rien.

— Lucie fait une fête et nous invite. Tu veux venir?

S'il voulait y aller?!! Il garda son sang-froid.

— Euh... bien sûr.

Épine sourit et fila à sa place. La cloche sonna et leur professeur, monsieur Racine, commença le cours. Mais Jean avait la tête ailleurs.

À Degrassi, Lucie était la spécialiste des fêtes et c'était un honneur d'être invité chez elle. Jean savait très bien qu'elle l'invitait à cause d'Épine, mais qu'est-ce que ça pouvait faire? Il leur montrerait qu'il pouvait faire partie de la bande.

Il ne parla pas de la fête à ses parents. À vrai dire, il ne leur avait pas parlé d'Épine non plus. Il détestait mentir mais il savait que ça ferait des tas d'histoires. Ses parents lui diraient qu'il était trop jeune pour sortir avec une jeune fille et qu'il devait se concentrer sur ses études. Ou, pire encore, ils voudraient la rencontrer. Jean pouvait imaginer la scène. Si ses parents apercevaient Épine, ils lui interdiraient de la revoir.

Donc, le soir de la fête, il dit à ses parents qu'il sortait avec des copains. Il était sûr que ses parents allaient lire dans ses pensées, car il ne pouvait s'empêcher de rougir chaque fois qu'il mentait. Mais ils n'avaient rien remarqué, sans doute incapables d'imaginer qu'il pouvait leur mentir.

— Fais attention à toi, lança sa mère. Nous ne voulons pas que tu t'attires des ennuis.

Jean s'en alla donc à la fête. Et s'attirer des ennuis, c'était bien peu dire! Pourtant, sur le coup, il avait considéré que c'était la meilleure soirée de sa vie. Parce que ce soir-là, Jean McKay perdit sa virginité.

Il pouvait à peine se rappeler comment c'était arrivé. Épine et lui étaient comme ivres d'émotion et, quand il l'avait entraînée dans l'une des chambres, elle n'avait pas protesté. Ils n'avaient pas échangé un mot. Et une chose en amenant une autre... Sans trop s'en rendre compte, il s'était trouvé en elle. C'était une sensation étrange, incroyable. Il avait perdu la tête et tout fut terminé en quelques secondes mais, sur le moment, c'était sans importance. Tout ce qui comptait, c'est qu'il l'avait fait!

Le lendemain matin, au petit déjeuner, lorsque ses parents lui demandèrent comment s'était passée sa «soirée avec les copains», il leur répondit par d'autres mensonges, en se sentant coupable et honteux, songeant qu'un mensonge en entraîne toujours un autre. Il était convaincu que, s'ils savaient la vérité, ils le tueraient ou à tout le moins le renieraient. Mais pendant qu'il lavait la vaisselle du petit déjeuner, il se calma. Ses parents ne le sauraient jamais; ce qu'ils ignoraient ne pouvait pas leur faire de mal.

À l'école, au cours des deux semaines qui suivirent, tout le monde se posait des questions à son sujet. Même Joey et Louis s'intéressaient à lui. Un jour, ils le coincèrent dans la salle de bains.

Jean était en train de se peigner lorsqu'ils firent irruption. Joey, qui n'avait pas l'habitude de tourner autour du pot, alla droit au but.

— Dis donc, mon gars, qu'est-ce qui s'est vraiment passé à la soirée chez Lucie? Qu'est-ce que vous faisiez dans la chambre?

Jean regarda Joey dans le miroir avec un sourire en coin et dit, d'une voix aussi détendue que possible :

— Vous voudriez bien le savoir, hein?

Joey et Louis se regardèrent puis, se tournant de nouveau vers Jean, Joey ajouta :

— Si tu l'as vraiment fait, dis-nous comment c'était.

Jean ne voulait pas accorder à cela plus d'importance qu'il n'en fallait. Il avait déjà décidé qu'il n'en parlerait pas... mais il ne pouvait pas non plus passer la chose sous silence. Il savait que ce n'était pas très bien, mais il tenait à ce que Joey et Louis soient ses amis.

— Quoi! Vous n'avez jamais couché avec une fille?

— Bien sûr que je l'ai déjà fait! fit vivement Joey.

— Moi aussi, ajouta Louis. Plusieurs fois.

Joey donna un coup impatient sur le bras de Jean.

— Alors, dis-nous. Tu l'as fait, ou tu ne l'as pas fait?

Jean se tourna vers Joey et lui dit avec un large sourire :

— Ça ne vous regarde pas.

Louis adopta une autre tactique.

— Alors, pourquoi est-ce qu'Épine ne te parle plus?

Jean leur tourna vivement le dos et mouilla son peigne dans le lavabo. Louis avait raison. Depuis la soirée chez Lucie, Épine l'évitait comme s'il était porteur d'une maladie mortelle.

— Elle est dans une mauvaise passe, je suppose, murmura-t-il en haussant les épaules.
— Probablement ses règles ou quelque chose du genre, lança Joey en riant pendant qu'il quittait la salle de bains avec Louis.
Jean souhaitait que Joey ait raison.

Finalement, il comprit pourquoi Épine l'évitait. Un jour, il l'attrapa dans le corridor. Elle tenta de se dérober mais il se planta droit devant elle.
— Attends! Je croyais qu'on sortait ensemble. Pourquoi me traites-tu de cette façon?
Épine le regarda droit dans les yeux, avec un curieux mélange de tristesse et de dégoût.
— Tu veux vraiment le savoir?
Jean souhaitait parfois n'avoir jamais posé la question. Il aurait bien dû s'en aller et ne plus jamais lui adresser la parole car, dans une phrase, Épine avait transformé sa vie en cauchemar.
— Je crois que je suis enceinte.
Et elle l'était.

Maintenant, Jean s'apprêtait à faire ce qu'il aurait dû faire deux mois auparavant. Il empoigna sa fourchette et écrasa ses petits pois dans son assiette, en regardant la chair verte gicler et la moue se transformer en grimace. Puis il prit une grande respiration.
— Maman... Papa... J'ai quelque chose à vous dire.

Chapitre 2

Lorsque Jean leva enfin les yeux de son assiette, c'était comme s'il venait d'appuyer sur le bouton qui déclenche une bombe nucléaire et qu'il se rendait compte à présent des dégâts. Son père avait blêmi et sa mère était au bord de la crise de larmes. Il attendait que l'un d'eux dise quelque chose, mais en vain. Il remua sur sa chaise. Finalement, son père parla d'une voix chevrotante.

— Comment peux-tu nous faire cela?

Jean vit que son père serrait les poings; il en avait les jointures toutes blanches.

— Je n'ai pas voulu vous faire de mal, marmonna-t-il en baissant de nouveau la tête.

— Tu as quatorze ans! lança sa mère. Comment peux-tu même penser à avoir des relations sexuelles?

— On n'a pas vraiment pensé, admit Jean.
— Ça me semble évident, en effet, rétorqua son père. As-tu oublié tout ce que nous t'avons appris? Est-ce que ça t'est entré par une oreille et sorti par l'autre?
— Non! C'est juste... arrivé.
— Quel genre de fille peut permettre que cela arrive? demanda son père.
— Ce n'était pas sa faute. Ç'a été juste une stupide erreur.
Même si Épine le haïssait maintenant, il avait pris le parti de la défendre. Son père éleva la voix pour la première fois.
— Une stupide erreur?! Te rends-tu compte de ce que cela signifie pour nous tous?
Jean s'enfonça de plus en plus dans sa chaise. Il avait l'impression de rétrécir. Peut-être qu'il allait tout simplement rétrécir jusqu'à disparaître. Après tout, ce n'était pas une si mauvaise idée.
— Que va-t-elle faire? demanda soudain sa mère.
— Elle va avoir le bébé, et ensuite le faire adopter, je suppose.
En disant cela, il se rendit compte qu'il n'avait jamais discuté avec Épine de ce qu'elle ferait après la naissance du bébé.
— Eh bien! je suppose que nous devrions nous estimer heureux de cela.
Monsieur et madame McKay étaient contre l'avortement. Mais Jean pensa que si Épine avait choisi de se faire avorter il n'aurait jamais eu be-

soin de leur en parler. Il écarta vivement cette pensée.

— Qu'est-ce que je vais dire aux membres de la congrégation?

Son père se prit la tête à deux mains et se frotta le front. Il avait l'air fatigué. Jean regardait ses cheveux blancs, son crâne dégarni, et il sentit son estomac se nouer.

— Est-ce que tu dois absolument le leur dire? demanda-t-il timidement.

— Jean, rétorqua son père en essayant de contenir la colère qui l'envahissait, réalises-tu combien de gens dans la paroisse ont des enfants à l'école Degrassi? Que vont-ils penser? Le fils du pasteur...

— Qu'avons-nous donc fait de mal? demanda sa mère d'une voix brisée. Nous avons essayé de t'élever dans un bon milieu, dans un environnement religieux.

— Je ne peux pas croire que nous n'ayons pas prévu cela, ajouta tristement son père. Comment peux-tu nous décevoir de la sorte?

— Je n'ai pas voulu vous décevoir. Je ne voulais surtout pas vous inquiéter.

— Eh bien! c'est raté, jeune homme, grommela son père.

Le silence retomba dans la pièce. Jean savait que ce n'était pas tant la honte qui bouleversait à ce point ses parents, mais le fait qu'à leurs yeux il avait péché. Il vit une larme couler sur la joue de sa mère. Tout se bousculait dans sa tête.

— Je pourrais l'épouser, lança-t-il étourdiment.

Le visage de son père passa du blanc à l'écarlate.

— Ne sois pas ridicule! s'écria-t-il. Tu as déjà causé assez d'ennuis.

Monsieur McKay se détourna de son fils et Jean comprit que son père ne pouvait plus le regarder dans les yeux tellement il avait honte de lui.

— Va dans ta chambre, dit-il calmement.

— Je suis désolé. Je suis vraiment désolé.

Il ne voulait pas monter, pas tout de suite. Il aurait voulu courir vers sa mère pour qu'elle le prenne dans ses bras et le console comme quand il était petit. Mais il ne bougea pas.

— Va dans ta chambre, répéta son père. Immédiatement.

Il se leva de table. Son repas avait refroidi dans son assiette. Il sortit de la pièce, enveloppé de la colère de ses parents.

Dans sa chambre, tout était propre et bien rangé. Il n'y avait pas d'affiches sur les murs, parce que ça déplaisait à ses parents. Il avait toujours essayé de se conformer à leurs règles. Maintenant il avait commis une erreur énorme, stupide, et il sentait qu'elle pèserait sur lui toute sa vie. Il s'allongea sur son lit, les yeux au plafond. Comme il regrettait que Wai-Lee soit déménagé. Plus personne ne voudrait lui parler, à l'école, parce que tout le monde le considérait comme un pauvre imbécile.

En bas, il pouvait entendre ses parents qui chuchotaient. Puis sa mère se mit à pleurer. Il ferma les yeux et se couvrit la tête avec l'oreiller pour ne plus rien entendre. Et il se mit à sangloter sans qu'aucune larme ne vienne. Il était seulement secoué d'un violent tremblement incontrôlable.

Le lendemain, il se traîna les pieds jusqu'à l'école Degrassi, la tête basse. Depuis que les élèves savaient qu'Épine était enceinte, il marchait toujours les yeux rivés au sol. Pourtant, mises à part quelques exceptions, les jeunes ne les jugeaient pas, ni lui ni Épine. Plusieurs, au contraire, encourageaient Épine mais, à vrai dire, ils étaient tous bien plus gentils avec elle qu'avec lui. Il était conscient qu'il ne s'était pas montré très utile quand elle lui avait appris qu'elle était enceinte. Il l'avait même évitée pendant des semaines. La plupart de ses camarades considéraient que c'était son problème à lui aussi et qu'il aurait dû être attentif à Épine. Facile à dire, pensa-t-il; ils n'étaient pas dans ses souliers.

Maintenant il voulait se reprendre. Il lui avait fallu beaucoup de courage pour parler à ses parents et il savait qu'il en paierait longtemps le prix. Mais il pouvait au moins se dire que, pour une fois, il avait fait ce qu'il fallait faire.

À présent il voulait aussi aider Épine. La nuit précédente, il avait sérieusement réfléchi au fait qu'elle allait avoir un bébé. Leur bébé à tous les deux. Et la question de sa mère, au sujet de ce qu'Épine entendait faire avec le bébé, lui était revenue à l'esprit. Il avait déjà tenu pour acquis qu'elle le ferait adopter mais peut-être bien que non, après tout. Peut-être le garderait-elle? Se tournant et se retournant dans son lit, il avait essayé d'imaginer à quoi cela ressemblerait d'avoir un vrai bébé et, d'une certaine façon, ça ne lui semblait pas si terrible. Un bébé, au moins, ne serait pas déçu de lui; peut-être même qu'un bébé se tournerait vers lui.

Il entra dans l'école et sentit tous les regards posés sur lui. Même si les bavardages emplissaient les couloirs grouillants d'élèves, on aurait dit que tout devenait silencieux sur son passage. C'était assez curieux : il avait toujours voulu être le centre de l'attention et, maintenant que toute l'école s'intéressait à lui, il avait cela en horreur. Il aurait souhaité que les choses redeviennent comme avant.

Il trouva Épine près de son casier et s'approcha prudemment. Depuis quelque temps, elle l'enguirlandait dès qu'il s'approchait d'elle.

— Bonjour, dit-il en hésitant.

Épine se retourna et il s'efforça de ne pas regarder son ventre. Même si elle n'avait pas commencé à grossir, il savait qu'elle était susceptible à ce sujet. Il la regarda donc dans les yeux, ses yeux verts et froids. Elle grignotait des croustilles et sirotait un soda. Elle le dévisagea.

— Je leur ai dit, lança-t-il.

Elle parut surprise. Il savait qu'elle avait perdu tout espoir qu'il avoue à ses parents.

— Tu as parlé à tes parents à propos du bébé?! Et qu'ont-ils dit?

— Ils étaient bouleversés, mais ils n'ont pas fait de crise.

Il avait décidé, la nuit précédente, de ne pas lui raconter à quel point ses parents étaient atterrés. Après tout, elle avait bien assez de ses propres ennuis.

— C'est bien, dit-elle en souriant.

Jean avait envie de la prendre et de la serrer dans ses bras. Il y avait si longtemps qu'elle lui avait souri. D'ailleurs, personne ne lui avait souri depuis longtemps.

— Ils veulent qu'on se rencontre, commença-t-il.

Avant qu'il quitte la maison, ce matin-là, son père était sorti de son bureau pour lui dire d'organiser une rencontre. Il lui avait dit aussi qu'ils auraient une longue conversation à son retour de l'école, puis il était retourné s'enfermer dans son bureau. Jean avait donc toute la journée pour s'inquiéter à l'idée de cette «longue conversation».

— Ils veulent qu'on se rencontre, toi, moi, eux et ta mère.

Jean vit le visage d'Épine s'allonger.

— Oh non! C'est horrible!

— Je sais.

— Qu'est-ce qu'on va faire?

Elle paraissait vraiment angoissée et il était flatté qu'elle lui demande conseil, même s'il ne pouvait être d'aucune utilité.

— Je ne sais pas, dit-il en haussant les épaules.

Épine ferma son casier et ils se dirigèrent vers la salle de cours. Il remarqua qu'Estelle et Érica les observaient, surprises de les voir ensemble. Jean prit une grande respiration avant de dire :

— Euh... Épine? J'ai beaucoup réfléchi à tout ça, la nuit dernière. As-tu déjà pensé à garder le bébé?

— Quoi?! s'écria-t-elle en écarquillant les yeux.

— Sérieusement, poursuivit Jean d'une traite, est-ce que ça ne serait pas formidable d'avoir un petit bébé qui nous aime? Et qui nous respecte, et qui a besoin de nous?

Elle le regardait comme s'il était devenu fou.

— Mais je suis une enfant, pas la mère d'un enfant!

Il se tut. Il ne voulait pas troubler cet instant. C'était si agréable d'être ensemble, pour une fois. Épine avala encore une gorgée de soda et plongea la main dans son sac de croustilles. Il lui toucha gentiment le bras.

— Tu ne devrais pas manger ça, dit-il malgré lui. C'est mauvais pour le bébé.

— Mêle-toi de tes affaires! lança-t-elle en lui repoussant furieusement la main.

— Mais ce sont mes affaires, dit-il prompte-

ment. C'est mon bébé à moi aussi.
— C'est vrai! lança-t-elle, assez fort pour faire tourner des têtes. C'est tellement facile pour vous, les garçons. Vous ne grossissez pas, vous n'êtes pas obligés de subir un counselling, vous n'avez pas besoin d'être responsables.
Et sur ce, elle disparut dans la classe.
— J'essaie d'être responsable, lui cria-t-il.
Il constata que les corridors étaient silencieux. Tous les regards étaient tournés vers lui. Baissant de nouveau la tête, il entra dans la classe.

Chapitre 3

Jean ouvrit la porte de sa maison. C'était une magnifique vieille maison, chaleureuse et confortable. Jusqu'à présent, il avait toujours été heureux de rentrer chez lui après l'école.

Son père, qui était au téléphone, ne l'entendit pas entrer.

— C'est magnifique, Carl. Félicitations! Nous sommes très fiers de toi.

Il voulut se précipiter pour demander la permission de parler à son frère. Carl avait toujours su l'écouter et Jean avait tellement besoin d'une oreille attentive en ce moment. Son père poursuivit :

— Si seulement Jean te ressemblait davantage.

Il figea dans l'entrée, comme si on l'avait giflé.

— Oh! nous allons bien, ta mère et moi, je suppose. Nous sommes seulement très contrariés à propos de ton frère. Quel gâchis que de mettre cette jeune fille enceinte. Ta mère a le coeur brisé. Elle n'ose pas affronter son cercle de bridge, ce soir. Tout cela est tellement embarrassant.

Jean sentit le sang lui monter au visage. Il avait quatorze ans, il était terrifié, et tout ce qui inquiétait sa mère, c'était son stupide cercle de bridge.

— ... ta mère et moi avons pris une décision aujourd'hui. Nous allons l'envoyer au collège privé.

Jean s'agrippa au porte-manteau, prêt à s'écrouler comme un château de cartes.

— ... Strathcona, oui. Tu y es bien allé, toi.

Il ne pouvait pas en supporter davantage. Il claqua la porte et fit irruption dans la cuisine. Sa mère, debout près de la table, essuyait ses larmes. Son père leva les yeux.

— ... Je dois te quitter, Carl. Jean est arrivé. Nous t'appellerons demain... d'accord. Nous t'aimons. Au revoir.

Nous t'aimons. Jean n'avait jamais entendu ses parents lui dire cela à lui. Son père et sa mère le regardèrent, puis se tournèrent l'un vers l'autre.

Finalement, Jean parla. Il ne voulait pas susciter une nouvelle discussion mais, après tout ce qui s'était passé la veille, une discussion de plus ou de moins faisait peu de différence. Sa voix tremblait.

— Je ne veux pas aller au collège. J'aime

Degrassi.

— Ça ne veut pas dire que tu n'aimeras pas Strathcona. Ton frère y est allé et ça lui a beaucoup plu, lui dit son père en se frottant le front.

— Je ne suis pas comme lui, marmonna Jean.

— Eh bien! il est peut-être temps que tu essaies de le devenir, dit monsieur McKay en haussant la voix.

Jean tressaillit. Il se tenait près de la porte, sans dire un mot.

— Allons, Jean, lui dit sa mère. Ça va te faire du bien de t'éloigner quelque temps. Tu vas pouvoir te concentrer sur tes études.

— Mais je veux être ici pour pouvoir aider quand le bébé naîtra.

— Quand le bébé naîtra, dit fermement son père, il sera immédiatement adopté et tu ne le verras même pas.

— Et si ce n'était pas le cas? dit-il en regardant son père.

Il ne savait plus très bien où il en était. On aurait dit qu'il voulait provoquer ses parents, comme s'il cherchait délibérément la bagarre. En fait, il était totalement bouleversé et il voulait parler. Mais son père n'avait pas le coeur à la discussion. Se tournant vers son fils il dit, d'une voix basse et monocorde :

— Maintenant tu vas écouter, jeune homme. Tu as déjà fait assez de mal.

— Mais je ne veux pas aller au collège privé, se

lamenta-t-il, conscient qu'il gémissait comme un bébé.

Même si tout n'était pas rose pour lui à Degrassi, ça valait certainement mieux que le collège privé, situé dans une petite ville à quelques heures de Toronto. Le collège, ça voulait dire l'uniforme, des règles sévères et l'enseignement religieux. Et que des garçons. Pas de filles à des kilomètres à la ronde. Pas étonnant que ses parents veuillent l'y envoyer : c'était une vraie prison.

Puis il ne voulait pas vivre loin de ses parents. Il aimait son foyer et refusait d'aller vivre avec des étrangers. Il avait besoin d'eux, mais comment le leur faire comprendre? C'était beaucoup trop embarrassant. Après tout, se dit-il en lui-même, il avait quatorze ans. En outre, il tenait à être là pour aider Épine autant qu'il le pourrait. Mais son père ne semblait pas prêt à se laisser émouvoir.

— La discussion est terminée, Jean.

— Mais...

— Ça suffit!

Jean se leva et quitta lentement la cuisine avec une impression de déjà vu. Arrivé dans la porte, il se retourna et vit son père qui hochait la tête, les yeux baissés.

Ses parents essayaient de se débarrasser de lui. Il les avait couverts de honte et, plutôt que de lui pardonner, ils voulaient l'envoyer en exil. Pour la première fois de sa vie, il les détesta. Cette constatation le surprit. On lui avait déjà appris que la ligne était mince entre l'amour et la haine, et il comprit qu'il était pris dans ce dilemme. Il aimait ses parents plus que tout au monde, mais il les haïssait de le mettre à la porte.

Tout le monde — Épine, ses parents, même ses camarades de l'école — le voyait comme un idiot irresponsable. Il souhaitait leur prouver qu'ils avaient tort.

Les semaines qui suivirent, il se sentait comme un étranger dans sa propre maison. Tous les après-midi il restait à l'école le plus longtemps possible, puis rentrait lentement en redoutant le moment de son arrivée. Les repas se passaient en silence. Ses parents lui adressaient rarement la parole et à peine échangeaient-ils entre eux quelques commentaires à propos d'un fait divers dans le journal. Jean leur trouvait l'air plus vieux que jamais. Il n'osait pas leur dire qu'il avait besoin d'eux. Il devinait leur souffrance et il sentait que la meilleure chose à faire pour l'instant était de se taire.

Il ne ramena donc pas sur le tapis la question du collège privé. Il savait que ses parents s'étaient fait envoyer tous les papiers nécessaires et qu'ils avaient fait de nombreux appels à Strathcona. Ce n'était pas facile d'inscrire un élève au beau milieu de l'année scolaire mais, comme Carl y était allé avant lui, tout portait à croire que ses parents arriveraient à leurs fins.

Sa mère pleurait beaucoup. À quelques reprises, il avait tenté de la consoler, mais elle l'avait repoussé. Quant à son père, il l'entendait souvent parler à voix basse au téléphone à des membres de la congrégation. Il savait à quel point ça lui était difficile de leur parler de son fils. Il le fit un jour à l'église. Ce jour-là, il avait demandé à Jean de rester à la maison. Son père se sentait très obligé moralement face aux gens qui fréquentaient son église et il préférait leur dire lui-même la vérité avant qu'ils ne l'apprennent par des rumeurs.

Jean avait découvert plus tard qu'on avait voulu l'inciter à démissionner. Heureusement, les gens s'étaient ravisés, se rendant compte que ce serait une erreur de leur part car son père était certainement le meilleur pasteur qu'ils aient jamais eu. Mais ils ne furent pas aussi tendres à l'égard de Jean. Ils décidèrent qu'il n'aiderait plus à l'école du dimanche, considérant sans doute que sa seule présence serait de mauvaise influence.

En temps normal, il ne détestait pas aller à l'église, mais, maintenant, c'était devenu un supplice. Les gens le dévisageaient et il avait toujours l'impression que les citations de son père le visaient. Il n'était même plus certain d'être croyant. Jamais il n'oserait avouer pareille chose à ses parents mais, pour l'instant, il avait tant de mal à croire en lui-même qu'il voyait difficilement comment il pourrait croire en Dieu.

Chapitre 4

Organiser une rencontre avec Épine et sa mère ne fut pas facile. Jean ne cessait pas de talonner Épine, qui répétait toujours que sa mère ne voulait rien entendre. Il finit par demander à son père d'appeler madame Nelson. Même s'il redoutait cette rencontre, il tenait à ce qu'elle ait lieu.

Assis à la table de la cuisine avec sa mère qui tricotait, il faisait semblant de lire ses notes d'histoire pendant que son père téléphonait. La conversation ne dura que quelques minutes.

— Très bien... D'accord... À bientôt.

Son père raccrocha, puis il examina son fils un moment.

— Jean, tu as bien dit à Épine que nous voulions avoir cette rencontre, n'est-ce pas?

— Bien sûr! Au moins dix fois.

— Eh bien! Elle n'a pas dû en toucher mot à sa mère, parce qu'elle vient de me dire que c'est la première fois qu'elle en entend parler.

— Ça ne me surprend pas, lança sa mère.

— Qu'est-ce que tu veux insinuer? lui demanda Jean.

— Une jeune fille qui devient enceinte à cet âge ne peut pas être fiable.

— C'est injuste, maman. Elle a peur, voilà tout. Comme moi.

— Elle a de bonnes raisons d'avoir peur. Je suis même étonnée qu'elle en ait parlé à sa mère.

— Contrairement à d'autres jeunes, Épine est très près de sa mère.

Il attendait que sa répartie fasse son effet, mais ses parents n'avaient même pas saisi l'allusion.

— Épine! Qu'est-ce que c'est que ce prénom pour une jeune fille?

— Son vrai nom est Christine, dit-il doucement. Tout le monde l'appelle Épine à cause de ses cheveux.

— Alors, c'est une punk! dit sa mère les larmes aux yeux.

Il soupira avec exaspération tandis que son père, les ramenant à l'objet de la discussion, ajouta :

— En tous les cas, nous les rencontrons demain soir chez *Porthouse*.

Madame McKay leva les yeux de son tricot.

— Au restaurant? Mais je me disais justement que je pourrais faire cuire un rôti et que nous pourrions les recevoir ici.

— Elle a insisté pour que nous allions au restaurant, dit monsieur McKay en haussant les épaules.

Jean rit en lui-même, content que tout soit arrangé. Il aurait ainsi la chance de prouver qu'il était un garçon responsable et sensible. Le lendemain, après le cours d'anglais, il alla voir Épine. Son ventre gonflait à vue d'oeil.

— Tu t'inquiètes pour ce soir?

— Ouais. Qu'est-ce qui a pris ton père d'appeler?

— Tu sais, il est pasteur.

Il passa sous silence le fait qu'il lui avait demandé d'appeler, redoutant sa réaction. Elle soupira et Jean put voir sa lèvre inférieure trembler, comme si elle allait pleurer. Décidément, beaucoup de gens pleuraient, ces temps-ci.

— T'en fais pas, dit-il d'un ton rassurant. On ne les laissera pas nous bousculer.

Épine lui sourit puis ajouta :

— Il faut que j'aille à mon cours de math. À ce soir.

Il la regarda s'éloigner, incrédule à l'idée que le bébé qu'elle portait était aussi une partie de lui.

Il était assis à une grande table avec ses parents. C'était un restaurant familial dont les prix étaient raisonnables, tout comme la cuisine et le décor. Il espérait que la rencontre serait tout aussi raisonnable.

Il avait mis au moins une demi-heure à se demander quoi porter. Il avait finalement opté pour son chandail rose pâle et un pantalon habillé, l'ensemble préféré de sa mère. Chaque fois qu'elle le voyait ainsi vêtu, elle lui disait qu'il avait l'air d'un jeune homme distingué.

Ils mangeaient rarement au restaurant car sa mère considérait que c'était de l'argent gaspillé. Elle dit d'une voix tendue, en jouant avec ses couverts et en lissant sa serviette :

— Je ne vois vraiment pas pourquoi il a fallu venir ici. J'aurais pu préparer un très bon repas à la maison.

Mais Jean comprenait madame Nelson d'avoir voulu que cette rencontre se déroule en terrain neutre. Il en aurait fait autant.

— Je suis sûr que tout ira très bien, lui dit monsieur McKay d'un ton rassurant.

Jean regarda sa montre et s'agita sur son fauteuil. Épine et sa mère auraient déjà dû être là depuis une dizaine de minutes. Il jeta un coup d'oeil vers l'entrée, puis, les apercevant, il leur fit signe de la main. Son coeur avait bondi dans sa poitrine. Madame Nelson enlaçait sa fille. Il dévisageait Épine pendant qu'elles s'approchaient. Il aurait voulu être à la place de sa mère, le bras passé autour de sa taille pour la réconforter.

Épine portait un tee-shirt et une jupe courte, avec ses bottes noires pointues. Il l'admirait d'être restée elle-même en pareille circonstance. Baissant les yeux sur ses vêtements à lui, il se demanda soudain s'il avait bien choisi. De toute façon, il ne s'était jamais affirmé par sa tenue vestimentaire.

Il saisit le regard étonné de ses parents à la vue d'Épine. Mais ils furent tout aussi surpris en voyant sa mère, qui était très jeune. Épine lui avait déjà raconté que sa mère l'avait eue à dix-sept ans. Elle était donc une erreur, comme lui. Il pensa tristement qu'ils auraient pu en tirer une leçon mais qu'au lieu de cela ils avaient perpétué la même erreur. Il put voir les yeux de sa mère se poser d'un air réprobateur sur les cheveux d'Épine, puis sur son ventre. Monsieur McKay se leva.

— Madame Nelson? Je suis Steven McKay.

— Enchantée, dit madame Nelson.

— Et voici ma femme, Marie.

— Enchantée, fit sèchement sa mère.

Jean souhaitait qu'ils en finissent avec les convenances et qu'ils s'assoient. Son père essayait trop d'être poli et le ton de sa mère frisait l'insolence.

— Et vous êtes Épine, je suppose, ajouta son père.

Elle ne répondit pas.

— Elle s'appelle Christine, dit fermement madame Nelson.

Il y eut un silence gêné.

— Oui, oui, bien sûr, Christine, fit son père qui

s'empressa d'ajouter, en désignant les deux fauteuils libres de l'autre côté de la table : Assoyez-vous, je vous en prie.

Enfin! pensa Jean. Maintenant ils pourraient en venir aux faits.

Le silence pesait toujours, de plus en plus embarrassant. Jean essayait d'attirer le regard d'Épine pour lui laisser sentir que tout irait bien, mais elle fixait obstinément la nappe. Monsieur McKay se racla la gorge, signe que le sermon allait commencer. Jean espérait seulement qu'il ne dise rien de désagréable.

— Vous savez, madame Nelson, en tant que pasteur, j'ai l'expérience de situations semblables.

Jean ne put s'empêcher de se demander pourquoi, s'il avait tant d'expérience, il ne pouvait aider son propre fils.

— Ce qui est arrivé est arrivé, continua son père. Il ne sert à rien d'y revenir. Nous devons vivre avec le présent. Dans de pareilles situations, les émotions ont tendance à prendre le dessus et je sais que ce n'est jamais facile. Mais je suis sûr que nous arriverons à une solution raisonnable.

Jean se renversa sur son siège. Il ne le savait pas encore, mais la soirée n'aurait rien de raisonnable.

Les plats arrivèrent et ils se mirent à manger en silence. Jusqu'à présent, la conversation avait été éparse et tendue, deux volontés tenaces et très différentes s'affrontant. Jean faisait semblant de manger et il remarqua qu'Épine faisait de même, repoussant sa nourriture sur le bord de son assiette. Sa mère avait la main posée sur son genou et il les enviait d'être aussi près l'une de l'autre.

— C'est délicieux, dit son père.

Personne ne répondit, à part sa mère qui émit une sorte de grognement étouffé. Jean ne pouvait s'empêcher d'être désolé pour son père, sachant qu'avec sa façon dépassée de faire les choses, il voulait simplement aider. Après un moment, il revint à la charge.

— Si vous voulez, je peux vous recommander un excellent foyer où votre fille pourra demeurer jusqu'à ce que tout soit terminé.

Épine échappa sa fourchette avec fracas et se tourna vers sa mère, l'air effrayé.

— Je ne veux pas m'en aller!

Jean comprenait sa réaction. Il s'était senti aussi mal quand ses parents lui avaient annoncé qu'ils le mettaient pensionnaire. Décidément, ils tenaient à l'idée d'exil. Mais contrairement à ses parents, la mère d'Épine avait écouté.

— Tu n'iras pas, dit-elle, entourant Épine de son bras.

Et regardant monsieur McKay droit dans les yeux, elle ajouta :

— Christine restera avec moi.

— Madame Nelson, répliqua son père d'une voix apaisante, il est parfois dans le meilleur intérêt d'une jeune personne de l'éloigner. Les gens peuvent être si cruels.

Jean eut envie de se boucher les oreilles. Son père ne savait pas ce qui était dans le meilleur intérêt d'Épine, ni dans le sien. Il essayait simplement d'enterrer le problème en les envoyant au loin tous les deux.

— Et il est parfois dans le meilleur intérêt d'une jeune personne de rester chez elle, rétorqua sèchement madame Nelson. Je ne vais pas l'éloigner comme si elle avait commis un crime.

Jean regarda son père, qui ne disait mot. Il savait très bien que ses parents voyaient toute cette situation comme un crime et croyaient que les coupables devaient être punis. Il se demanda s'il aurait enfin la chance de placer un mot. Les adultes ne semblaient pas vouloir les entendre, ni lui ni Épine.

— Eh bien, je suis heureux que Jean ait accepté d'aller au collège, dit son père pour alléger la conversation.

C'en était trop. Ils parlaient d'Épine et de lui comme s'ils n'étaient pas là.

— Non, je n'ai pas accepté, lança Jean en sentant tous les yeux posés sur lui.

— Nous avons déjà discuté de tout cela, dit son père, sur un ton qui n'admettait pas la réplique.

Mais Jean ne pouvait plus s'arrêter.

— Mais vous ne m'écoutez jamais!

Il se rendait compte que sa voix montait, mais ça lui était égal. Maintenant qu'il avait commencé, il voulait mettre cartes sur table.

— Papa, tu m'as toujours appris à faire ce qu'il fallait. C'est ce que j'essaie de faire en ce moment.

Jusque-là, son père avait maîtrisé sa colère; mais cette fois il haussa le ton.

— La mettre enceinte le prouve, n'est-ce pas?

Autour, les conversations cessèrent. Épine fixait la nappe d'un air mortifié. Monsieur McKay se radoucit.

— Écoute, mon garçon, nous essayons seulement d'agir pour ton bien.

— Non! rétorqua Jean. Vous agissez pour votre propre bien. Vous voulez m'écarter parce que ma présence vous embarrasse. Alors maman pourra continuer de jouer au bridge!

Tout ce qu'il avait contenu depuis quelques semaines éclatait au grand jour. Il était au bord des larmes, conscient que les gens autour d'eux surveillaient le drame qui se déroulait à leur table, mais tant pis.

— Je regrette. Je ne suis pas parfait comme Carl.

— Personne n'a dit cela, ajouta calmement son père.

— Mais c'est ce que vous pensez. Je sais que j'ai commis une erreur. Mais donnez-moi une chance... laissez-moi garder le bébé.

Tous laissèrent tomber leurs couverts dans un même mouvement. Ils le regardaient comme s'il était devenu fou. Même Épine.

— Laissez-moi vous montrer... vous serez fiers

de moi.

Sa voix perdit de son assurance tandis qu'il regardait les visages incrédules tournés vers lui. Il essayait de soutenir leur regard d'un air déterminé, mais il finit par baisser les yeux.

Soudain, la mère d'Épine se leva. Elle attrapa son sac, déposa des billets sur la table et dit d'un ton glacial :

— Merci infiniment pour l'invitation. Je crois que nous n'avons plus grand-chose à nous dire. Puis-je vous suggérer, révérend McKay, d'écouter votre famille et de régler vos propres problèmes avant de vouloir régler les nôtres...

Jean regarda Épine quitter le restaurant avec sa mère. Puis il se leva brusquement et sortit en courant, laissant ses parents stupéfaits devant leur repas entamé.

Il avait espéré qu'il sortirait du restaurant le coeur léger et de nouveau accepté. Au lieu de cela, il courait à toute allure, comme un parfait imbécile.

— D'accord, tu peux rester à Degrassi, soupira monsieur McKay.

Jean leva les yeux vers son père, puis baissa de nouveau la tête. Il avait les yeux rouges et gonflés. Jamais il n'avait tant pleuré. En quittant le restaurant, il n'était pas rentré tout de suite à la maison. Il avait marché en pleurant comme une fontaine. Il détestait pleurer. Même s'il savait que les garçons en avaient le droit, il se sentait comme un vrai bébé.

Quand il avait vu la voiture de ses parents garée dans l'allée, il avait failli ne pas rentrer. L'idée de s'enfuir l'avait effleuré mais il n'avait ni argent, ni vêtements. Il aurait aimé pouvoir se réfugier chez un ami pendant quelques jours, pour inquiéter ses parents, mais il n'avait personne vers qui se tourner. Planté devant la maison, il avait eu l'horrible sensation d'être seul au monde.

Puis il avait fini par entrer. Ses parents étaient assis au salon, immobiles, et n'avaient même pas levé les yeux en l'entendant. Il pouvait voir des rides d'inquiétude sur le visage de sa mère, qui avait l'air épuisée.

Et voilà que maintenant son père lui permettait de rester à Degrassi. Mais il n'y voyait aucune victoire. Son père n'agissait pas sous le coup de la confiance en son fils retrouvée, mais parce qu'il en avait assez de discuter. Jean aurait voulu leur témoigner sa gratitude, leur dire qu'il voulait demeurer avec eux, qu'il les aimait et qu'il avait besoin d'eux, mais les mots restaient pris dans sa gorge. Il avait beau former dans sa tête les phrases qu'il aurait aimé dire, il n'arrivait pas à les articuler.

— Ce que tu as fait ce soir, Jean... dit soudain son père, ta mère et moi croyons que tu dois voir un conseiller.

— Un conseiller? Mais, papa, je ne suis pas fou. Je suis seulement... troublé.

Son père le regarda en secouant tristement la tête.

— Raison de plus, mon fils.

Jean resta silencieux un moment, puis il approuva de la tête. Peut-être que ce serait bien d'avoir quelqu'un à qui parler. Mais son visage tomba lorsqu'il entendit son père ajouter :

— Par l'intermédiaire de l'église, bien sûr. Je connais le pasteur d'une autre paroisse qui se fera un plaisir de te rencontrer une fois par semaine.

— Est-ce que je ne pourrais pas aller voir un conseiller ordinaire, tout simplement?

— Mon garçon, tu dois te remettre sur la bonne voie. Je crois sincèrement que cela va t'aider.

— Mais...

— Si tu veux rester à Degrassi, tu dois y aller.

C'en était fait. Jean savait que la décision de son père était irrévocable.

— Et tes notes doivent s'améliorer.

— D'accord.

— Et autre chose encore, ajouta son père en prenant une grande respiration. À part les échanges normaux à l'école, nous ne voulons pas que tu voies Épine.

Jean ouvrit la bouche pour protester, mais son père lui jeta un regard qui interdisait toute réplique. Puis sa mère intervint.

— Nous allons appeler madame Nelson pour l'informer que nous sommes prêts à contribuer aux dépenses jusqu'à la naissance du bébé. Il n'y a absolument pas de raison pour que tu restes impliqué dans cette affaire, Jean. Ta vie doit continuer.

Jean eut envie de rire. Si seulement c'était aussi simple! De voir Épine qui grossissait à vue d'oeil ne pouvait que lui rappeler sans cesse leur erreur. Sa mère avait dû deviner ses pensées car, à sa grande surprise, elle lui prit la main. C'était la première fois depuis longtemps qu'elle lui montrait une marque d'affection.

— Essaie de comprendre, mon chéri. Nous essayons seulement de faire ce qu'il y a de mieux pour toi. Mais nous ne savons pas vraiment ce qui est le mieux.

— Ta mère a raison, Jean, renchérit son père. Lorsque nous avions ton âge, des problèmes semblables n'existaient pas. Ou plutôt ils existaient, mais personne n'en parlait.

Jean resta silencieux dans son fauteuil. Il leur était reconnaissant de vouloir s'expliquer, mais il ne savait pas quoi dire. Sa mère lui lâcha la main et reprit une pose rigide.

— Est-ce que tu acceptes ces règles? lui demanda son père.

Il fit signe que oui, se sentant comme devant un tribunal. De toute façon, il n'avait pas tellement vu Épine en dehors de l'école ces derniers temps. De plus, s'il arrivait à se conformer aux désirs de ses parents, peut-être qu'ils pourraient à nouveau être fiers de lui. Il leva les yeux et put voir qu'ils se regardaient mutuellement en secouant la tête, d'un air découragé. Il se dit en lui-même : «Ils croient que je suis fou». Puis une horrible pensée lui traversa l'esprit : «Peut-être que je le suis...»

Le lendemain, Jean attendait Épine devant l'école, appuyé contre un grand chêne à l'écorce entaillée de graffiti. Il avait toujours pensé qu'un jour il y graverait dans un coeur ses initiales avec celles d'Épine. C'était trop tard, maintenant.

Quand il aperçut la voiture de madame Nelson, il se cacha derrière l'arbre et attendit qu'Épine sorte de la voiture et vienne dans sa direction. Il sortit alors de sa cachette et lui barra le passage. Elle hésita, puis lui dit bonjour.

— Salut! dit-il, intimidé. Euh... je regrette, pour le restaurant.

Épine haussa les épaules, puis le regarda attentivement.

— Veux-tu vraiment avoir le bébé?

— Je ne sais pas, soupira-t-il. Je dois voir un conseiller.

— Bien... c'est peut-être une bonne chose.

Il se demanda si elle le croyait fou, elle aussi.

— Tu sais, ce n'est pas si facile qu'on pense, d'être le garçon.

Elle le regarda en souriant avant de s'éloigner. Il savait qu'elle ne le croyait pas vraiment, mais au moins elle ne lui faisait pas de reproches. Il la suivit des yeux en se disant qu'elle l'avait complètement laissé tomber. Comment la blâmer? Il lui avait donné toutes les raisons de le mépriser depuis qu'elle lui avait annoncé qu'elle était enceinte. Elle ne reviendrait plus, maintenant, parce qu'elle jugeait que tout irait mieux sans lui. Au moins, dans cinq mois le bébé serait là et peut-être qu'alors ils pourraient redevenir des adolescents normaux.

On était à la fin février. Jean pensait, en regardant l'école, que ses parents avaient peut-être raison. Le temps était peut-être venu de prendre sa vie en main. Il se dirigea vers l'école, en essayant de garder la tête haute.

Chapitre 5

Le reste de l'année se passa sans trop de mal. Ce n'était pas reluisant, mais Jean se répétait qu'il y avait au moins une amélioration par rapport aux longs mois d'hiver.

Certaines choses allaient mieux que d'autres. Ses rapports avec ses parents s'étaient quelque peu améliorés. Ils étaient gentils avec lui, bien qu'avec réserve, le traitant comme on traite un criminel mentalement dérangé prêt à s'emporter à la moindre contrariété. Ils n'avaient toujours pas confiance en lui. Dès qu'il rentrait en retard de l'école, la même scène l'attendait. Sa mère lui disait avec une fausse gaieté :

— Bonjour, Jean. Comment ç'a été à l'école?

— Bien.

Puis, après une pause, elle se détournait de ses occupations pour ajouter :

— Il est un peu tard pour rentrer de l'école.

— Je suis resté à la bibliothèque. Nous avons un travail d'histoire à remettre la semaine prochaine.

Elle poussait un soupir et retournait à ses occupations.

— Je n'étais pas avec Épine, si c'est ce que tu crois, disait-il en sachant parfaitement que c'était ce qu'elle pensait.

Pourtant, c'était la vérité. Il ne voyait jamais Épine en dehors de l'école, parce qu'elle ne voulait pas le voir. Et, à mesure que la fin de l'année approchait, il n'était pas sûr non plus qu'il voulait être avec elle. Il avait suivi les conseils de ses parents et avait essayé de prendre sa vie en main. Malheureusement, ils n'en étaient pas conscients.

Ils lui avaient même imposé un couvre-feu. Les fins de semaine, il devait rentrer à dix heures et seulement à condition qu'ils soient au courant de ses projets. Mais ça ne le dérangeait pas tellement, car il ne savait pas où aller, ni avec qui.

Au moins, la pression était tombée à l'école. Les jeunes lui parlaient de nouveau et parfois, après les cours, quelques camarades de sa classe de gymnastique l'invitaient à s'entraîner au basket ou à jouer au football.

Il aimait bien le petit groupe qui se rencontrait au terrain de football. Parmi les habitués il y avait Anguille, un grand gars dégingandé plein de taches de rousseur, puis Bernard, un beau gars noir musclé qui n'arrêtait pas de faire des blagues, et Luc, un garçon réservé au teint olivâtre que Jean n'arrivait pas à comprendre. Anguille et Bernard ne cessaient pas de rire et de s'amuser tandis que Luc était toujours sérieux. Jean le trouvait distant. Luc ne lui demandait jamais de jouer au basket. C'était toujours Anguille et Bernard qui lançaient l'invitation. Il avait l'impression que Luc ne l'aimait pas, mais comment l'en blâmer? À côté de lui, Jean se sentait comme une gigantesque nouille.

Il éprouvait toujours un soulagement quand Anguille ou Bernard lui demandaient de se joindre à eux. Ça lui donnait une chance de s'attarder un peu avec des copains et de ne pas rentrer immédiatement à la maison. Depuis un certain temps, il avait l'impression que ses parents étaient ses seuls contacts humains et, à vrai dire, c'était bien mince.

Tous les mercredis soir, il allait rencontrer monsieur Francis, le pasteur d'une église du centre-ville. Au début, il avait vraiment eu envie de parler car il voulait se libérer d'une foule de choses qu'il avait sur le coeur. Mais ce n'était pas facile de se livrer à un pur étranger et, chaque fois qu'il essayait d'expliquer ses états d'âme, monsieur Francis le ramenait à la même chose.

— Je me suis senti... tellement seul.

— Tu n'es pas seul, mon garçon, Dieu est toujours avec toi.

Cela ne le réconfortait pas. Si Dieu était autour,

il ne pouvait sentir Sa présence. Puis il faisait une nouvelle tentative.

— La nuit, parfois, je n'arrive pas à dormir; je peux rester allongé les yeux ouverts jusqu'au petit matin.

— Dans des moments pareils, tu devrais prier, ou lire un passage de la Bible. La parole de Dieu est toujours apaisante pour un esprit troublé.

Mais ni la prière ni la lecture de la Bible ne calmait son esprit troublé. Il doutait d'une foule de choses et sa foi en Dieu en était une. Il avait pensé le dire à monsieur Francis, mais il jugea bon de laisser tomber.

Même s'il détestait ces rencontres, il y était assidu parce qu'il savait à quel point ses parents y tenaient. Il se mit à dire à monsieur Francis combien il se sentait mieux, en espérant qu'au bout du compte on déciderait qu'il n'en avait plus besoin. Et, finalement, son espoir fut comblé. Un soir, son père lui dit :

— Nous avons décidé que tu n'aurais plus besoin d'aller voir monsieur Francis après la fin des classes.

Son visage s'illumina. Cela signifiait sans doute que ses parents avaient retrouvé leur confiance en lui et qu'ils pourraient enfin essayer de redevenir une famille normale. Mais il déchanta en entendant son père ajouter :

— Nous voulons que tu ailles au camp biblique. Tu y seras aide-moniteur. Tout est arrangé.

Il n'en revenait pas de toutes les décisions qui

se prenaient dans son dos.

— Mais je veux rester avec toi et maman, cet été, lâcha-t-il, surpris lui-même par cet aveu. Est-ce que je ne pourrais pas travailler à Toronto?

Il pensait aussi à Épine. Le bébé devait naître en août et même s'ils n'étaient plus rapprochés, ça lui semblait anormal qu'il ne soit pas là pour la naissance. Son père le regarda attentivement.

— Jean, je vais être honnête avec toi. Ta mère et moi... nous sommes fatigués. Nous avons eu une dure année.

Jean baissa la tête. Il savait où son père voulait en venir.

— Je crois que ça ferait beaucoup de bien à ta mère de lui laisser quelques mois de répit.

Son père ne faisait que confirmer ce qu'il savait depuis longtemps : aux yeux de ses parents, il était un fardeau. Pas un garçon formidable qu'ils se réjouissaient d'avoir auprès d'eux et dont ils étaient fiers, mais un fardeau. Sa gorge se serra et il dit tranquillement :

— D'accord.

Puis il quitta la pièce en se mordant férocement la lèvre inférieure. Pas question qu'il se mette encore une fois à pleurer devant son père. Malgré tous ses efforts, ils se débarrassaient de lui au lieu de le comprendre.

En allant dans sa chambre, ses pensées retournèrent à Épine. Peut-être qu'il serait de retour avant la naissance du bébé. Leur enfant s'en irait dans un foyer inconnu et grandirait sans jamais entendre parler d'Épine ni de Jean, sa vraie maman et son vrai papa. Et peut-être qu'un jour il — ou elle, qui sait? — partirait à leur recherche.

Jean se demanda ce qu'il dirait en pareille situation, pour se rendre compte qu'il n'en avait pas la moindre idée.

Chapitre 6

La musique inondait le gymnase. Jean, vêtu d'un complet, se tenait près de la table où était dressé le buffet. Pratiquement tous les élèves de l'école Degrassi étaient là pour la remise des diplômes de la huitième année.

Il se sentait bien. Il avait réussi ses examens et partait le lendemain pour le camp. Il s'était fait à l'idée au cours du dernier mois d'école. Le camp était situé à environ trois heures de Toronto, alors il pourrait rester dans l'anonymat.

Il aperçut Épine qui entrait dans le gymnase avec Estelle et Érica. C'était difficile de croire qu'elle n'accoucherait que dans deux mois, car elle semblait sur le point d'éclater. Lorsqu'une musique douce se fit entendre, il prit son courage à deux mains et alla vers elle.

— Tu veux danser? demanda-t-il d'une voix hésitante.

Elle le regarda au-dessus de son verre de punch et jeta un coup d'oeil à ses deux amies.

— Bien sûr.

Elle tendit son verre à Érica et ils se dirigèrent vers la piste de danse. Jean l'attira à lui autant qu'il pouvait, mais son ventre gênait l'étreinte. Il fit semblant de ne rien remarquer quand, tout à coup, il sentit quelque chose qui lui fit écarquiller les yeux.

— Tu as senti, toi aussi? demanda Épine en riant. C'est le bébé qui donne des coups de pied.

Jean la regardait éberlué. Puis sans prendre le temps de réfléchir, il posa la main sur son ventre et sentit le bébé bouger encore une fois. Il n'en revenait pas.

— Elle est très agitée depuis quelque temps, dit Épine.

— Elle?

— Oui. Je pense que c'est une fille.

— Ce serait bien, dit Jean doucement, s'apercevant qu'il avait envie de pleurer pour la première fois depuis longtemps.

Il l'attira à lui de nouveau mais monsieur Racine, leur professeur d'anglais et maître de cérémonie, retira le disque.

— Et voici maintenant le clou de la soirée, le groupe musical de Degrassi : les Zits enragés!

Épine serra la main de Jean et retourna auprès de ses amies. Jean se trouva un coin à l'arrière et le rideau s'ouvrit sur Joey, Louis et Anguille. Dire qu'il avait déjà eu une envie folle de faire partie de leur bande, même s'il ne savait jouer d'aucun instrument.

Ils étaient affreux mais peu importe, tout le monde les acclamait et Jean se laissa emporter par leur musique. Jamais il n'aurait pu prévoir ce qui allait arriver ensuite.

Épine *éclata* effectivement. Le travail commença pendant la chanson des Zits enragés et on l'entraîna précipitamment hors du gymnase. La nouvelle se répandit comme une traînée de poudre. Dès qu'elle atteignit Jean, il tenta de suivre Épine mais sa mère qu'on avait prévenue l'avait déjà emmenée. Estelle et Érica étaient toujours près de la porte et lui dirent à quel hôpital elle était allée.

Mais il n'arriva jamais à l'hôpital. En sortant du gymnase, la voiture de ses parents l'attendait. Il avait oublié qu'ils venaient le chercher à dix heures. Il demanda à son père de le conduire à l'hôpital.

— Il n'en est pas question. Elle n'a pas besoin de toi et même si tu y allais, on ne te laisserait pas la voir, ni le bébé.

— De toute façon, intervint sa mère, tu pars pour le camp demain matin à sept heures.

C'était absurde. En même temps qu'il partait au camp d'été, il devenait père. Il s'affala sur la banquette arrière, soudain exténué. Il ne pouvait pas se résoudre à se disputer avec eux la veille de son départ. Il regardait défiler comme dans un rêve les lumières de la ville, complètement abruti.

Il ne dormit pas de la nuit. À toutes les demi-heures, il appelait l'hôpital. Tout d'abord on refusa de lui donner des renseignements.

— C'est de la part de qui, s'il vous plaît? demanda l'infirmière à l'autre bout du fil.

— Je suis le père! cria-t-il d'une voix fêlée, réalisant qu'il devait avoir l'air d'un gamin de douze ans.

Après un silence, l'infirmière lui demanda d'attendre. Elle avait dû aller parler à la mère d'Épine car, de retour au téléphone, elle lui dit qu'elle n'avait pas de nouvelles mais qu'il pouvait rappeler. Il sentait le blâme dans sa voix; elle devait se demander pourquoi il n'était pas là.

À six heures du matin, tandis que sa mère préparait le petit déjeuner, il n'avait toujours pas de nouvelles. À six heures trente, pendant que ses parents portaient ses bagages dans la voiture en lui criant de se dépêcher, il appela encore une fois.

— Félicitations! Vous êtes le père d'une petite fille.

Il se trouvait maintenant au terminus d'autobus, sans trop savoir comment il y était arrivé.

— Sois sage, lui dit sa mère en l'embrassant.

— Et ne t'inquiète pas, mon garçon, ajouta son père, assombri par son air abasourdi. Le bébé sera placé dans un foyer bon et aimant.

Jean fit un léger signe de tête.

— Euh... est-ce que vous viendrez me rendre visite?

— Bien sûr que nous viendrons, le rassura sa mère.

Une fois installé dans l'autobus, il ne pouvait croire qu'il était un parent et qu'il craignait de s'ennuyer de son père et de sa mère. Ceux-ci, d'ailleurs, attendirent le départ de l'autobus. Non pas parce qu'ils étaient tristes de le voir partir, pensa Jean, mais parce qu'ils voulaient s'assurer qu'il ne sauterait pas de l'autobus pour se précipiter à l'hôpital.

Il s'assoupit et dormit pendant tout le trajet, incapable de penser à autre chose qu'au fait qu'Épine avait eu raison : c'était une fille.

Chapitre 7

Les deux premières semaines, Jean détesta le camp. Au cours de ses quelques moments libres, il imaginait des moyens de s'enfuir pour retourner à Toronto voir Épine. Il lui écrivait tous les soirs, préférant rester dans son dortoir plutôt que de se mêler aux autres moniteurs qui faisaient la fête dans la salle à manger une fois que les petits étaient au lit.

L'un d'eux, Charlie, que Jean trouvait bruyant et insupportable, avait essayé à quelques reprises de briser sa coquille. Tous les autres le trouvaient formidable mais Jean l'évitait, convaincu qu'il se moquait de lui dans son dos.

Deux semaines après son arrivée, il avait craqué. C'était le premier jour de visite pour les jeunes campeurs et les moniteurs s'affairaient à accueillir les parents. L'une des mères était arrivée avec un nouveau-né dans les bras et Jean se trouvait par hasard avec Charlie pour lui souhaiter la bienvenue. Il ne pouvait quitter des yeux le minuscule bébé.

— Quel beau bébé, roucoula poliment Charlie. C'est un garçon ou une fille?

— Une fille, répondit la mère avec un sourire épanoui. Elle n'a que quinze jours.

Quinze jours, pensa Jean. C'était l'âge du bébé d'Épine, de leur bébé. Il se demanda si elle ressemblait à cette petite chose fragile et adorable.

— Nous sommes si heureux, dit la mère avec fierté. C'est notre petit miracle.

Jean se sentit ridicule mais il ne put s'empêcher de demander :

— Elle n'est pas adoptée, n'est-ce pas?

La mère le regarda, interloquée.

— Mais non!

Il sentit sa gorge se serrer et se mit à courir à toutes jambes jusqu'au bord de l'eau, loin des gens. Il entendit Charlie crier après lui, mais il continua sans s'arrêter jusque sur le quai où il s'effondra, à bout de souffle.

Quelques minutes plus tard, le quai vibra sous les pas de Charlie mais Jean ne le regarda même pas quand il se laissa tomber à côté de lui.

— Alors! dit-il en haletant. Qu'est-ce qu'il y a? Depuis ton arrivée, tu te comportes comme si toute ta famille avait été assassinée par un tueur à gages.

Jean était sur le point de l'envoyer promener quand il sentit ses larmes couler sans pouvoir les retenir.

— Tu veux vraiment savoir? dit-il avec rage. D'accord.

Et il lui révéla d'un trait toute l'histoire à propos d'Épine, de ses parents et du bébé. Quand il s'arrêta, Charlie se taisait.

— Voilà! dit Jean avec un air de défi. Maintenant tu sais et tu peux le dire à tout le monde. Peut-être que ça vaut mieux. On va me mettre à la porte et je pourrai retourner chez moi.

Charlie le regarda.

— Je n'en parlerai à personne, dit-il calmement.

Ils restèrent assis en silence quelques minutes, puis Charlie demanda brusquement :

— As-tu déjà fait de la planche à voile?

— Non, répondit Jean, décontenancé.

— Je peux t'apprendre, si tu veux.

— Pourquoi pas? fit Jean en haussant les épaules.

— Et tu sais quoi? ajouta Charlie en riant. Si tu te laisses aller, tu vas passer un été formidable!

Il donna à Jean une claque dans le dos avec un grand sourire. Jean ne put s'empêcher de sourire à son tour.

Charlie avait raison. Le reste du camp fut comme le calme après la tempête. Jean considérait même que c'était le meilleur moment de sa vie. Il pensait toujours à Épine mais, un soir qu'il planifiait d'aller passer une fin de semaine à Toronto, il se rendit compte que c'était la dernière chose qu'il avait envie de faire.

Charlie et lui devinrent inséparables. Jean n'avait jamais eu de meilleur ami auparavant; à part Wai-Lee, bien sûr, mais ils étaient devenus amis par nécessité, non pas par choix. Charlie était si facile à vivre et tellement sûr de lui. Tout le monde l'aimait et Jean était fier d'être son meilleur ami. Et Charlie l'acceptait tel qu'il était. Pendant un certain temps, Jean se demanda même si ce n'était pas un coup monté, une bonne grosse blague que Charlie avait imaginée à ses dépens. Mais il finit par changer d'idée.

Il se fit aussi d'autres amis. C'était tellement plus facile qu'à Degrassi. Au camp, il était tout simplement Jean McKay, un adolescent ordinaire de quatorze ans. Personne à part Charlie ne connaissait son passé et Charlie gardait fidèlement son secret.

Le travail d'aide-moniteur s'avéra beaucoup plus amusant qu'il l'avait cru. C'était agréable de voir tous les petits gamins se tourner vers lui et ses aînés lui disaient qu'il était vraiment habile avec eux. Il aurait bien aimé qu'Épine et ses parents les entendent.

Souvent, la nuit, il pensait à Épine et à la petite fille qui était peut-être déjà adoptée. Il continuait de lui écrire de longues lettres; il lui parlait du camp, lui demandait plus de détail sur leur bébé, mais il ne recevait jamais de réponse. Ça l'ennuyait, mais pas assez pour qu'il fasse quelque chose. Il semblait tellement détaché de tout cela, maintenant, tellement loin. Pour la première fois depuis six mois, il était heureux.

Ici, il faisait partie de la bande. Le soir, allongé sur sa couchette dans le dortoir avec cinq autres garçons, ils parlaient de leurs sujets préférés : les voitures, les parties et les filles. Un soir, la conversation bifurqua sur la sexualité.

— Je l'ai presque fait, dit Jeff. Avec cette fille, l'été dernier. Si vous saviez, les gars, on a tout fait excepté ça.

— C'est toujours pareil avec les filles, se lamenta Bill, un garçon boutonneux. Elles vous laissent faire tout le reste, mais quand il s'agit de faire un petit pas de plus, elles deviennent soudain vertueuses.

Grégoire, qui avait la couchette près de Bill, éclata de rire.

— Qu'est-ce que tu en sais, de toute façon?

— Je te parie que j'en sais autant que toi, répondit Bill en lui lançant son oreiller.

— Et toi, Jean? s'enquit Jeff. Tu l'as déjà fait? Tu as déjà couché avec une fille?

Jean se rappela un temps où il se mourait d'envie de parler de sa «conquête sexuelle». Aujourd'hui, il se contenta de s'enfoncer dans son sac de couchage, en jetant un coup d'oeil à Charlie qui l'observait.

— Non, dit-il simplement. Jamais.

Et il n'avait même pas l'impression de mentir. Ici, il se sentait comme un serpent qui a mué et dont la vieille peau devait traîner quelque part à

Toronto. Ici évoluait un nouveau modèle amélioré, revitalisé. Le passé lui semblait irréel.

— Merde! lança Jean en tombant de sa planche à voile encore une fois.

Jurer était devenu une habitude qu'il avait prise au contact de Charlie. À la maison, ses parents le lui interdisaient formellement et, obéissant, il ne jurait même pas à l'école, comme beaucoup de jeunes. Mais Charlie jurait avec tant de naturel que, sans même s'en rendre compte, Jean s'était mis à émailler son vocabulaire de gros mots. Il remonta sur la planche pour retomber presque aussitôt.

— Merde de merde! cria-t-il, en donnant un coup de poing sur la planche.

— Hé! lui cria Charlie de sa planche. Qu'est-ce qui ne va pas aujourd'hui? Tu es pire que jamais.

Jean se confiait facilement à Charlie. C'était quelque chose qu'il n'avait jamais connu avec personne auparavant. Ils avaient eu plusieurs conversations à coeur ouvert au cours de l'été et Charlie adorait donner des conseils. Jean n'hésita donc pas à lui dire ce qui n'allait pas.

— J'ai reçu une lettre de mes parents, avoua-t-il. Ils étaient censés venir en fin de semaine, mais ils doivent assister à un meeting de la congrégation, alors ils ne viendront pas.

Charlie le dévisagea, incrédule.

— Et c'est ça qui te dérange? Moi, mon vieux, je serais fou de joie que mes parents ne se montrent pas dans les parages de tout l'été.

— Tu ne t'entends pas avec eux?

— C'est pas ça. C'est juste que je suis assez grand pour m'occuper de moi-même. Mes parents ne sont pas d'accord mais ils ont tort. Je n'ai pas besoin d'eux. Je suis indépendant. Et tu devrais apprendre à l'être toi aussi.

— Je suis indépendant, se défendit Jean faiblement.

— Mais non. Tu es toujours très dépendant de ta mère et de ton père même si, d'après ce que j'ai pu comprendre, ils t'ont porté quelques coups bas.

Jean fut déconcerté. Jamais personne ne lui avait parlé de ses parents de cette façon.

— Ils ont peut-être été maladroits, mais ils essayaient seulement...

— ...d'agir pour ton bien, nargua Charlie. Réveille-toi! C'est le plus vieux principe du manuel des parfaits parents. Ils essaient toujours de te faire croire que les pires coups qu'ils te font sont pour ton bien. Mais en réalité, c'est pour eux qu'ils le font. Ils veulent à tout prix avoir l'autorité. Être parent, c'est un jeu de pouvoir.

Jean dévisagea Charlie avec stupéfaction. Son ami philosophait à tout propos et ses raisonnements paraissaient toujours lumineux.

— Peut-être, dit-il lentement.

— J'ai pour devise : Ne te laisse pas avoir; recherche ce qu'il y a de mieux; et si tu dois compter sur quelqu'un, compte sur un de tes amis.

— Ça fait trois devises, mon vieux, dit Jean avec le sourire.

Charlie éclata de rire et l'arrosa.

— Écoute. Plus vite tu couperas le cordon, mieux ça vaudra. Tu es presque un adulte. Tu dois affirmer ta personnalité, non pas être une copie de ce que tes parents veulent faire de toi.

Et, prenant une pose d'athlète, il lança :

— Regarde-moi. Je suis quelqu'un.

— Ridicule!

— À l'attaque! cria Charlie avec défi.

Puis ils s'éclaboussèrent avec frénésie, riant à ne plus pouvoir s'arrêter en se crachant de l'eau.

— Ici, au camp, nous sommes liiiibres! hurla Charlie en se frappant la poitrine comme Tarzan.

— Ouais! renchérit Jean en sautant sur sa planche à voile. Les parents, on n'a pas besoin d'eux!

Les deux semaines qui suivirent, Jean réfléchit beaucoup aux paroles de Charlie. Quand ses parents vinrent enfin le voir, il avait décidé de mettre les conseils de son ami en pratique. En fait, il s'était beaucoup ennuyé d'eux, mais il n'allait pas le leur montrer.

Assis à une table de pique-nique en face de lui, ils cherchaient leurs mots mais Jean ne fit rien pour leur faciliter la tâche. Il restait simplement assis à jouer avec un brin d'herbe.

— Qu'est-ce... qu'est-ce que c'est que cette chemise? demanda sa mère, d'un ton qui se voulait enjoué.

Comment pouvait-elle ignorer cette méthode qui consistait à nouer et teindre les vêtements, un peu comme du batik? C'était pourtant la grande mode il y a une vingtaine d'années. Il avait appris cette technique pendant l'été et maintenant il l'enseignait aux petits. Des six chemises blanches que sa mère avait mises dans ses bagages, une seule n'avait pas été teinte, et il comptait bien y remédier le lendemain.

— Tu n'as besoin de rien? lui demanda son père. Des chaussettes, des sous-vêtements?

Jean avait l'impression qu'ils n'étaient pas assis à une table de pique-nique mais à une longue table de prison, avec une épaisse vitre pare-balles au milieu qui les séparait.

— Non.

— Comment sont les cours d'instruction religieuse, ici? demanda sa mère.

Il les regarda en face et répondit :

— Assommants!

Il savait qu'il était insolent mais, assez curieusement, ça lui faisait du bien. D'une certaine façon, pensa-t-il, ils le méritaient.

— C'est le professeur? lui demanda son père avec une lueur d'espoir.

— Non, répondit Jean lentement. C'est la Bible.

Ses parents pâlirent. Il sentit soudain qu'il était allé trop loin et s'empressa d'ajouter :

— Mais c'est très bien, ici. J'apprends à faire de la voile et de la planche à voile.

Le silence retomba.

— Sois prudent, répondit sa mère, qui ne trouvait rien de mieux à dire.

Jean sentait que son père avait la gorge serrée et il souhaita pouvoir rattraper ses paroles. Mais sa mère dit précipitamment, en regardant sa montre :

— Oh! regarde l'heure qu'il est. Nous devons absolument partir.

Jean se leva. Il aurait voulu leur demander de rester encore un peu. Il aurait voulu s'excuser et leur dire qu'ils lui avaient manqué. Mais au lieu de cela, il dit :

— De toute façon, il faut que j'aille retrouver Charlie. Il m'apprend la planche à voile.

— Tu es sûr que tu n'as besoin de rien, mon chéri?

Sa mère parlait pour deux. Son père était toujours blanc comme un drap et pinçait les lèvres.

— Peut-être quelques chemises blanches, dit-il.

Sa mère regarda sa chemise bigarrée. Elle fit un signe de tête affirmatif, puis ils s'en allèrent.

Il ne reçut jamais les chemises blanches.

Chapitre 8

— Tu reviendras l'été prochain? dit Jean en se traînant les pieds.

Ni lui ni Charlie n'étaient très doués pour les adieux.

— Tu peux en être sûr.

— Bravo, dit Jean avec le sourire. Moi aussi.

L'autobus à destination de Toronto arriva.

— Tu devrais me donner ton adresse, dit Jean.

Charlie habitait Timmins, en Ontario, et Jean savait qu'il y avait peu de chances qu'il aille faire un tour là-bas pendant l'année. Mais ce serait bien de s'écrire. Charlie allait beaucoup lui manquer.

Charlie griffonna son adresse sur un papier mouchoir qui avait dû traîner dans sa poche tout l'été. Jean le prit délicatement et les deux garçons éclatèrent de rire.

— Pour être honnête, je ne suis pas un très bon correspondant. Alors si tu ne reçois pas de mes nouvelles...

— Pas de problème.

Charlie se mit à sortir des peluches de sa poche, mal à l'aise. Jean se disait que pour Charlie, c'était un jour triste seulement parce qu'il marquait la fin de l'été. Mais pour lui, ça voulait dire beaucoup plus. Ça voulait dire retrouver une vie qu'il haïssait, pleine de mauvaises surprises. Mais le pire, c'était de retrouver la solitude. Avant d'aller au camp, il avait fini par s'habituer à être solitaire, même si ça ne lui plaisait pas. Mais, maintenant qu'il avait goûté à la présence d'un véritable ami, il lui faudrait se réhabituer à la solitude. Jamais il ne trouverait un ami comme Charlie à Degrassi.

— Allez, en voiture, mon gars, lui cria le chauffeur d'autobus.

Charlie donna une grande tape dans le dos à son ami.

— À l'été prochain, Plouc!

Charlie lui avait donné ce surnom en lui apprenant la planche à voile, parce qu'il tombait très souvent à l'eau. Le surnom lui était resté tout l'été et Jean en raffolait. Mais à Toronto, personne ne l'appellerait ainsi.

Il donna lui aussi à Charlie une tape dans le dos.

— Je t'écrirai, même si tu ne réponds pas, dit-il en montant dans l'autobus à contrecoeur.

Il se trouva un siège et regarda par la fenêtre.

Charlie et lui s'envoyèrent la main, puis Jean regarda son ami s'en aller. Il regardait encore par la fenêtre bien après que Charlie soit hors de vue.

Il faisait nuit quand l'autobus entra au terminus de Toronto. Jean aperçut la voiture de ses parents garée à l'extérieur.

Il essayait de voir les choses du bon côté. Après tout, il entrait en neuvième année et dans cinq mois il aurait quinze ans. Sous l'influence de Charlie, il avait acquis au cours de ces deux mois d'été beaucoup de maturité et d'indépendance. Ses rapports houleux avec ses parents l'attristaient mais moins qu'avant d'aller au camp. Il en avait assez de toujours essayer de leur faire plaisir, pour subir en retour leur froideur. Il devait aussi penser à lui. De plus, se disait-il, moins il aurait besoin d'eux, moins leur attitude l'atteindrait.

Il s'inquiétait de n'avoir pas entendu parler d'Épine de tout l'été. Quand ses parents étaient venus, il leur avait demandé de ses nouvelles et ils lui avaient répondu qu'à leur connaissance, elle allait bien. Peut-être que, comme Charlie, elle n'aimait pas écrire.

Jean vit ses parents qui lui envoyaient la main de la voiture. Il empoigna son sac et, prenant une grande respiration, se dirigea vers eux.

Il les salua le plus joyeusement possible en s'installant sur la banquette arrière.

— Bonsoir, mon garçon.

Ils avaient l'air reposé. Ils paraissaient même plus jeunes. Jean se sentit coupable en pensant que, s'ils avaient l'air aussi bien, c'était à cause de son absence. Mais ils semblaient vraiment heureux de le voir.

— Comment s'est passé le reste du camp? demanda son père en démarrant la voiture.

— Ç'a été formidable. Je suis vraiment content que vous m'ayez envoyé là-bas, dit-il sincèrement. J'ai appris des tas de choses. La voile, la planche à voile... Je suis devenu un très bon véliplanchiste.

— Ça fait plaisir à entendre, dit sa mère. Je serais effrayée de monter là-dessus.

— Tu ne devrais pas, maman. Un jour, je te montrerai. Tu n'es pas trop vieille.

Elle se mit à rire, et Jean sourit. Il se sentait étrangement bien.

— De notre côté, nous avons eu un été tranquille, dit son père. Carl est venu passer quelques semaines. Il t'embrasse.

Jean sentit la jalousie lui serrer la poitrine.

— C'est bien, se contenta-t-il de dire.

— J'ai oublié de te dire, ajouta sa mère. Au début de l'été, trois de tes amis sont venus.

— Ah oui? Quels amis?

— Un grand garçon rousselé, avec un drôle de surnom.

— Anguille.

— C'est ça. Et un nègre costaud.

— Noir! dit-il avec exaspération. Puis se

radoucissant : Noir, maman. Plus personne ne dit nègre.

— Oh, fit-elle un peu vexée. Je ne le disais pas méchamment. Le troisième avait le teint foncé, un mulâtre, sans doute.

Jean serra les dents.

— Luc.

— Ils venaient pour te demander d'aller jouer au basket avec eux. J'ai trouvé que c'était gentil de leur part.

Jean le pensa aussi. C'était bon signe.

— Je me suis fait plein d'amis, au camp.

— C'est bien, dit sincèrement son père.

— Et les moniteurs veulent que j'y retourne l'été prochain. Ils m'ont dit que j'avais vraiment le tour avec les gamins.

Il crut voir ses parents se jeter un coup d'oeil gêné, puis il jugea qu'il s'était trompé.

— Parlant de gamins, ajouta-t-il lentement, qu'est-il arrivé... au bébé?

Ils s'engageaient dans l'allée. Son père coupa le contact en silence. Jean n'aimait pas ce silence. Ça n'avait rien de bon.

— Est-elle... morte? demanda-t-il dans un souffle.

— Non. Nous ne t'avons rien dit quand nous sommes allés te voir en juillet parce que nous ne voulions pas t'inquiéter. Nous voulions seulement que tu sois tranquille et que tu t'amuses.

— Dites-moi ce qu'il y a, insista-t-il, complètement tendu.

— Nous croyons qu'Épine a pris la mauvaise décision, dit sa mère. Elle a décidé de garder le bébé.

Jean avait du mal à respirer. Toronto devait y être pour quelque chose, pensa-t-il, car il n'était pas aussitôt arrivé qu'il se sentait déjà malade. Il regarda ses parents, incrédule.

— Vous m'avez menti?

— Nous n'avons pas menti, commença son père. Nous ne te l'avons pas dit, c'est différent.

— C'est vrai! cria-t-il. Alors si je ne vous avais pas dit qu'Épine était enceinte et que vous l'ayez appris par quelqu'un d'autre, j'aurais pu dire que je n'avais pas menti, que je ne vous l'avais pas dit, tout simplement.

— Calme-toi, lui dit sa mère.

— C'est dégueulasse d'avoir fait ça.

Ses parents figèrent.

— Que je ne t'entende plus jamais prononcer ce mot, jeune homme, tonna monsieur McKay.

Jean ouvrit la portière toute grande et sauta de la voiture avec son sac. Planté au milieu de l'allée, il cria de toutes ses forces :

— Merde! Merde! Merde!

Puis il claqua violemment la portière.

Chapitre 9

En montant les marches de l'école Degrassi, Jean était un vrai paquet de nerfs. Mais les jeunes le saluaient, ce qui eut pour effet de le rassurer.

Il portait l'une de ses nouvelles chemises. Lorsqu'il était descendu pour le petit déjeuner, sa mère l'avait regardé d'un air ébahi.

— Tu ne vas pas porter ça à l'école?

— Pourquoi pas? demanda-t-il d'un air buté.

— Et toutes les nouvelles chemises que je t'ai achetées?

— Maman, dit-il avec impatience, je crois que je suis assez grand pour choisir mes vêtements tout seul. Les chemises que tu m'as achetées sont ridicules.

Il attrapa ses livres, son lunch et une pomme, et s'apprêtait à quitter la cuisine en faisant mine de ne pas remarquer le regard irrité de sa mère.

— Et ton petit déjeuner?

— Je suis déjà en retard, lança-t-il en se précipitant à l'extérieur et en claquant la porte derrière lui.

Il en voulait toujours à ses parents. C'était d'autant plus facile de mettre en pratique les conseils de Charlie. Il se rappela sa devise : «Si tu dois compter sur quelqu'un, compte sur un ami». Il avait bien besoin d'un ami sur qui compter, mais il n'en avait aucun.

Pour l'instant, il se rendait au bureau de l'école pour obtenir son numéro de casier. Doris Bell, la secrétaire, distribuait tout le nécessaire pour la rentrée : plans des étages pour les nouveaux et pour quelques anciens un peu désorientés, cadenas et numéros de casiers. En l'apercevant, elle le salua d'un air jovial.

— Salut, Jean. Bon retour à Degrassi.

— Merci, Doris, dit-il avec sincérité.

— Eh! Jean! lança une voix nonchalante derrière lui.

Il se retourna et aperçut Luc, l'air plus décontracté que jamais dans son tee-shirt, son jean déchiré et ses espadrilles noires.

— Salut, Luc! dit-il, soudain intimidé.

— Comment ça va?

— Bien... très bien. Et toi?

— Pas mal, compte tenu que c'est la première journée d'école.

Il avait l'air blasé et Jean lui enviait sa nonchalance. Ils quittèrent ensemble le bureau et Luc prit une direction opposée.

— À la prochaine!

— On peut peut-être aller lancer quelques ballons après l'école, se hasarda Jean en essayant de ne pas montrer trop d'enthousiasme.

— Peut-être.

Jean le regarda s'en aller. D'une certaine façon, il lui rappelait Charlie. Il constata avec un pincement au coeur que Charlie lui manquait déjà, vingt-quatre heures à peine après leur séparation.

— Eh bien! soupira-t-il en se dirigeant vers son casier, tu ferais bien de t'habituer à ta charmante compagnie, Plouc!

Soudain, il ralentit le pas. Il avait entendu des voix de filles sur le palier au-dessus.

— Comment s'est passé l'accouchement?

Il reconnut la voix d'Alexa, l'une des filles les plus pétillantes de l'école. Puis il entendit une voix encore plus familière.

— Très douloureux. J'ai été en travail pendant près de dix heures.

Son coeur se serra. Quand ses parents lui avaient annoncé qu'Épine avait décidé de garder le bébé, il avait essayé de ne pas y penser. Il ne pouvait s'empêcher de croire lui aussi qu'elle avait commis une erreur. Comment pourraient-ils maintenant, l'un et l'autre, laisser libre cours à leur vie? Mais planté là à écouter la conversation au-dessus de lui, il ne pouvait plus nier la vérité. Il eut une envie folle de partir à toutes jambes pour aller supplier ses parents de l'envoyer au collège.

— Emma. Quel joli nom, dit Estelle.

— Emma, murmura-t-il lentement. Cela semblait si... délicat.

— Je l'ai appelée du nom de ma grand-mère, expliqua Épine.

— Combien de temps est-elle restée à l'hôpital? demanda Alexa.

— Six semaines.

Six semaines! pensa Jean en tendant toujours l'oreille.

— Elle était branchée à un moniteur cardiaque, et tout et tout. Elle a failli mourir. Je dois encore l'amener à l'hôpital deux fois par semaine pour des examens. C'est exténuant.

Jean avait une boule dans la gorge et sentit les larmes lui monter aux yeux.

— C'est dur de prendre soin d'un bébé. Je ne suis pas sortie de l'été.

— Alors qui prend soin d'Emma, maintenant? demanda Lise.

— Une fille que j'ai connue aux cours prénatals. Elle est serveuse. Elle s'occupe d'Emma pendant que je suis à l'école et je garde son bébé le soir. C'est pourquoi je ne peux jamais sortir.

— Tu ne peux pas trouver une gardienne?

— Comment? Je n'ai pas un sou.

Jean prit une profonde respiration, serra les poings et monta les marches.

— Elle est si petite, disait Alexa en examinant une photo.

— C'est parce que c'est un bébé prématuré, dit Épine.

Elle figea lorsque la main de Jean s'empara de la photo. Il dévisagea Épine, puis regarda la photo.

— C'est Emma? murmura-t-il.

Le silence tomba sur le groupe, comme si elles avaient aperçu un revenant.

Épine retrouva enfin l'usage de la parole.

— Comme c'est gentil de te montrer soudain intéressé après t'être caché tout l'été.

Il était sûr qu'elles avaient parlé de lui plus tôt, sinon comment expliquer les regards froids que lui jetaient Épine et ses amies?

Elle essaya de lui enlever la photo mais il la tenait obstinément et elle finit par lâcher prise.

— Tu n'as pas lu mes lettres? lui demanda-t-il.

— Je ne les ai même pas ouvertes, répondit-elle d'un air hautain.

C'était trop bête. Elle savait qu'il allait au camp et c'était son choix à elle de garder le bébé, alors qu'est-ce qu'elle attendait de lui?

— Je t'en prie, Épine, dit-il lentement. Je veux t'aider. C'est ma responsabilité à moi aussi.

— Ah oui? Tu veux venir changer sa couche, une bonne fois? ricana-t-elle.

Puis elle s'éloigna avec son amie Lise.

Ça faisait drôle de la voir mince à nouveau.

— Est-ce que tu ne pourrais pas me permettre

de la voir? S'il te plaît, lui cria-t-il.

— Je ne crois pas que tes parents en seraient enchantés, rétorqua-t-elle en disparaissant derrière les portes.

Les autres restaient là, les yeux baissés. Lentement elles se dispersèrent, abandonnant Jean qui restait planté là à se demander ce qu'Épine avait voulu dire. Puis la cloche vint interrompre le fil de ses pensées et il grimpa les marches en courant, soucieux de ne pas arriver en retard le premier jour. Il trouva rapidement son casier et commença à y déposer ses choses, quand il s'aperçut qu'il tenait toujours à la main la photo d'Emma. On l'avait prise pendant qu'elle était encore dans l'incubateur et on pouvait voir une touffe de cheveux noirs sur sa tête. Elle ressemblait plus à un petit singe qu'à un bébé. Emma. Elle avait l'air si flétrie, si délicate... et si magnifique.

Il fixa la photo à l'intérieur de sa case puis se dépêcha d'aller à son cours, bien décidé à avoir une longue conversation avec Épine avant la fin de la journée.

Il ne réussit pas à lui parler ce jour-là, mais tout l'après-midi il avait pensé à ce qu'elle avait dit et certaines idées lui étaient venues à l'esprit. Cette fois il était fier de lui. Il ne pensait plus à des choses aussi farfelues que de l'épouser ou d'avoir la garde du bébé, et il ne voulait plus provoquer de scène comme il l'avait fait au restaurant quelques mois auparavant. Il voulait seulement être utile. Ce serait le premier pas vers sa nouvelle indépendance.

Il était à son casier en train d' examiner la photo d'Emma, quand Luc surgit derrière lui.

— Tu veux toujours jouer au ballon?

— Bien sûr! Formidable! fit Jean, interloqué.

Luc regarda la photo par-dessus son épaule.

— C'est ton bébé?

— Ouais.

Comme c'était étrange de dire cela. *Son* bébé.

— Eh bien! On peut pas dire qu'il te ressemble. Pas encore, en tout cas.

Bernard vint les retrouver.

— Vous venez?

Luc et Bernard s'éloignèrent tandis que Jean lorgnait vers Épine qui bavardait un peu plus loin avec Lise.

— J'arrive dans quelques minutes, leur lança-t-il.

— Ça va! Y a pas de presse, dit Luc.

Jean aimait son allure décontractée. Tout comme Charlie, Luc n'était pas du genre à s'adonner aux commérages. Il se mêlait de ses affaires et sans doute en attendait-il autant des autres. Jean se dirigea vers Épine.

— Épine? hasarda-t-il timidement en interrompant sa conversation avec Lise.

— Je t'ai dit de me laisser tranquille.

— D'accord, mais...

Il fouilla dans sa poche et en sortit un billet de

cinq dollars froissé qu'il lui tendit.
— Qu'est-ce que c'est?
— La moitié de mon allocation. Je t'en donnerais plus mais j'ai besoin du reste pour payer mes billets d'autobus et autres trucs du genre.
Épine le regarda froidement.
— Une sorte de pension alimentaire, quoi!
Elle prit le billet en silence et le mit lentement dans sa poche.
— Est-ce qu'on ne pourrait pas se parler seuls quelques minutes?
Elle se radoucit.
— D'accord. Je te retrouve dehors, Lise.
Ils descendirent jusqu'à une petite alcôve, au sous-sol. Seule la concierge venait ici et elle devait être occupée à faire le ménage dans les classes.
— Je vais aussi me trouver du travail à temps partiel après l'école, et je pourrai te donner plus d'argent, annonça-t-il fièrement.
— Je... je te remercie.
— J'y ai bien pensé et je suis assez vieux. D'ailleurs, c'est ce que font bien des couples divorcés. Et nous sommes en quelque sorte divorcés, non?
Sa voix se brisa. À sa grande surprise, Épine se pencha et lui prit la main.
— Je crois que je n'aurais pas dû être aussi dure, dit-elle. Mais j'espérais au moins que tu nous rendrais une petite visite quand tu as su que j'avais décidé de garder Emma.

— Mais je ne l'ai appris qu'hier.

Elle ouvrit de grands yeux.

— Tu veux dire que tes parents ne t'en ont pas parlé? Je leur avais demandé de communiquer avec toi. Ils ne peuvent quand même pas être aussi mesquins!

— Oui, dit-il amèrement. Crois-le ou non, ils ont cru agir pour mon bien.

Épine l'examina un moment.

— Tu sais, tu as l'air différent cette année. Tu es moins... guindé.

Il rit malgré lui.

— Je pense que c'est à cause du camp.

Ils restèrent silencieux un moment.

— Je regrette vraiment de n'avoir pas été là quand tu as eu le bébé. Tu sais, j'ai appelé l'hôpital à toutes les demi-heures.

— Ah oui? Personne ne m'a rien dit.

— Je suppose que ta mère a cru agir pour ton bien, elle aussi.

— Ah! les parents! dit-elle en souriant. Mais je ne peux plus dire ça, maintenant. Je suis mère moi aussi et je commence juste à comprendre combien c'est difficile.

— Mais quand même, protesta-t-il. Je ne ferai jamais autant de gâchis que mes parents.

— Ne sois pas si dur. Dis-toi que nous avons fait pas mal de gâchis nous-mêmes.

Jean se taisait.

— Crois-moi, c'est difficile, continua-t-elle. Avec Emma, par exemple, j'essaie toujours de faire ce qu'il faut : la nourrir à l'heure, veiller sur elle la nuit, l'habiller chaudement, la prendre quand elle pleure... Mais même ça, c'est épuisant et c'est facile de tout bousiller.

— Imagine quand elle sera adolescente! plaisanta-t-il.

Ils éclatèrent de rire tous les deux. Puis Jean redevint sérieux.

— Est-ce que je peux la voir, Emma?

Épine hésitait.

— Je ne sais pas. Elle est encore très malade.

— Je ne la prendrai même pas. Je vais juste la regarder.

— D'accord, dit-elle en soupirant. Mais pas tout de suite. Bientôt. Et tes parents? Je sais qu'ils ne veulent pas que tu tournes autour de moi, ni du bébé.

— Je ne leur dirai rien, dit-il sans prendre le temps de réfléchir.

C'était tellement plus simple de mentir. Leur dire la vérité entraînait toujours des disputes au bout desquelles ils se sentaient tous malheureux, sans que Jean ait réussi à obtenir ce qu'il voulait.

— D'ailleurs, ils ont fait la même chose en me cachant la vérité à ton sujet, non?

— Je suppose, dit-elle en haussant les épaules. Puis en regardant sa montre elle ajouta : Je dois m'en aller, c'est bientôt mon tour de garder les bébés.

— Épine... qu'est-ce qui t'a décidée à garder le bébé?

Elle baissa la tête.

— Si tu l'avais vue... elle faisait tellement pitié. Elle pleurait, pleurait. Alors ils m'ont laissée la prendre une minute et, dès que je l'ai eue dans les bras, elle s'est arrêtée. Je ne pouvais pas l'abandonner. J'ai senti qu'elle avait tellement besoin de moi.

Il comprenait ce qu'elle voulait dire. Il aurait tant aimé que quelqu'un ait besoin de lui à ce point-là.

Puis ils sortirent ensemble de l'école.

Chapitre 10

Les parents de Jean furent surpris quand il leur annonça qu'il voulait se trouver du travail.

— Ton allocation ne te suffit pas? lui demanda sa mère.

— Ce n'est pas une question d'argent, je t'assure. Je crois seulement que je pourrais assumer cette responsabilité.

— Et tes notes? ajouta son père.

— Ça ne dérangera rien. Je travaillerai seulement une ou deux fois par semaine.

— Et où vas-tu trouver du travail?

— Je ne sais pas encore, mais il y a des tas d'endroits où l'on engage des étudiants à temps partiel.

— Je ne sais pas, dit monsieur McKay. Après tout, tu as seulement quatorze ans.

— Seulement? De toute façon, j'aurai quinze ans dans cinq mois. Des tas de garçons de mon âge travaillent.

Ses parents froncèrent les sourcils mais il avait préparé une batterie d'arguments.

— Pensez à tout l'argent que je pourrai mettre de côté pour l'université. Ce sera autant que vous n'aurez pas à débourser.

— C'est vrai, dit son père avec un plus grand intérêt. Mais quand même...

— Écoutez. Ça ne coûte rien de me laisser essayer. Si ça ne fonctionne pas, j'arrêterai.

Ils se regardèrent puis, comme d'habitude, son père eut le dernier mot.

— D'accord. Mais à certaines conditions. Nous devrons approuver ton emploi, tes notes ne devront pas en souffrir, et tu te tiens à l'écart d'Épine et du bébé.

Jean sentit sa colère remonter à la surface. Depuis quelques jours il bouillait en dedans, prêt à exploser chaque fois qu'il se trouvait en présence de ses parents.

— Je t'en prie, mon chéri, intervint sa mère. Je sais que nous ne prenons pas toujours les bonnes décisions, mais celle-ci est irrévocable.

— Tu dois vivre ta vie, mon fils, dit son père, presque suppliant. Rester lié à elle ne peut te faire que du mal.

— C'est vrai. Elle a mis les pieds dans le plat, à elle de s'en sortir, ajouta sa mère.

— Bien sûr, marmonna Jean avant de quitter la pièce, en se disant que sa mère avait une bien curieuse façon de voir les choses.

Trouver du travail ne fut pas aussi facile qu'il l'avait pensé. Il n'avait aucune expérience et même chez McDonald's on n'embauchait pas. Un jour, après leur partie de basket, il décida de demander à Bernard et à Luc s'ils n'avaient pas quelque chose à lui suggérer.

Ils avaient joué régulièrement depuis le début des classes, mais Jean n'avait toujours pas l'impression de faire partie de la bande. Après la partie, personne ne lui demandait jamais de se joindre à eux pour aller casser la croûte ou faire un saut à la salle de jeux électroniques. Il rentrait seul à la maison en espérant qu'une lettre de Charlie l'y attendrait, mais il était toujours déçu. Pourtant, il lui avait déjà écrit deux fois.

C'est la fin de semaine qu'il se sentait le plus seul. Chaque fois que le téléphone sonnait, il se précipitait en espérant que c'était quelqu'un de l'école qui l'invitait, mais ce n'était jamais le cas.

Luc continuait de l'intriguer. Même s'ils avaient joué au basket tous les jours, depuis deux semaines, il n'arrivait pas à le comprendre. Luc était distant et Jean ne savait toujours pas s'il appréciait sa compagnie ou non. Mais il admirait le côté secret de Luc, qui ne dévoilait jamais ses sentiments. Il aurait bien aimé lui ressembler. Lui ne savait pas cacher ses émotions et ça le mettait en rogne.

D'ailleurs, il n'était pas seul à l'admirer. Les filles aussi l'aimaient bien. Mais Luc le prenait avec un grain de sel. Parfois il avait une copine, parfois non. Il disait que les filles finissaient toujours par l'ennuyer. Jean aurait bien voulu avoir ce problème! Les filles continuaient de le fuir comme si de sortir avec lui un soir allait ternir leur réputation.

Donc aujourd'hui, à la fin de la partie, il eut le courage de leur demander conseil.

— Dites donc, les gars, vous ne savez pas où je pourrais trouver du travail?

Bernard secoua la tête.

— Mes parents ne veulent pas que je travaille avant d'avoir quinze ans.

— Tu devrais leur montrer qui est-ce qui décide, bonhomme! grommela Luc.

Jean trouva qu'il parlait tout à fait comme Charlie.

— Je voudrais donner de l'argent à Épine, pour le bébé.

— À ta place, je l'oublierais, dit Luc. Après tout, c'est elle qui a voulu garder le bébé.

— Ce n'est pas si simple, avoua Jean en baissant la tête.

Luc réfléchit un moment avant de dire :

— Je pense que je peux te trouver du travail.

Jean n'osa pas se montrer trop enthousiaste, mais il lui demanda plus de détails.

— Je travaille dans un casse-croûte, près de chez moi, et le patron cherche de l'aide.

C'était trop beau pour être vrai! Travailler au même endroit que Luc! Et si Luc le lui offrait, c'était sans doute parce qu'il l'appréciait.

— On peut y aller demain après l'école, dit Luc.

— Formidable!

Jean arracha le ballon des mains de Bernard et le lança vers le panier. Le ballon passa directement dans l'anneau. C'était un coup parfait.

Jean se tenait devant le comptoir avec Luc, regardant le gros bonhomme qui était propriétaire du casse-croûte *Chez Jo*. C'était sûrement le genre d'endroit que ses parents appelleraient un trou et il n'était pas situé dans le meilleur quartier de la ville mais, pour Jean, c'était super.

Jo s'essuya les mains sur son tablier taché de graisse.

— D'accord, mon gars, je t'engage. Le salaire n'est pas élevé, tu sais. Je ne fais pas fortune, ici. Ce sera quatre dollars l'heure, quatre et vingt-cinq après trois mois.

Quatre dollars l'heure! Pour Jean, c'était une petite fortune. À ce compte-là, il n'aurait que cinq heures à travailler pour gagner les vingt dollars qu'il comptait donner à Épine. Il pourrait dépenser le reste à sa guise.

— Combien de quarts de travail est-ce que j'aurai?

— On va commencer par deux. Tous les mardis après l'école, de quatre heures à neuf heures. Et tous les samedis, de onze heures du matin à dix heures du soir, avec une heure payée pour le repas. C'est le jour le plus occupé.

Jean fit mentalement le calcul. Ça voulait dire seize heures par semaine. Soixante-quatre dollars par semaine! Il pourrait s'acheter des tas de vêtements à son goût et peut-être même économiser pour sa chaîne stéréo...

— Puisque vous êtes des copains, je vais placer Luc aux mêmes heures que toi, du moins pour un bout de temps. Tu lui apprendras le travail, Luc.

Luc sourit. Jean était sûr que lui et Jo s'entendaient bien et que Jo avait confiance en Luc. En les regardant tous les deux, il avait peine à croire que Luc avait seulement quelques mois de plus que lui. Il semblait si sûr de lui, capable de parler d'égal à égal à un homme qui devait avoir l'âge de ses parents.

Un client entra et Jo s'excusa.

— Bon, le travail m'appelle. À mardi, mon gars.

En quittant le restaurant, Jean était radieux.

— Merci, Luc. Merci beaucoup. C'est fantastique.

— Pas de problème, répondit Luc nonchalamment. Qui sait? Peut-être que ce sera amusant.

Jean souhaitait qu'il ait raison. Nul doute, les choses s'annonçaient bien. Il gagnerait plus d'argent qu'il pourrait en dépenser, il aiderait Épine et, en plus, il travaillerait avec Luc. Peut-être même qu'ils deviendraient des amis.

Chapitre 11

— C'est ça?! dit sa mère d'un air éberlué en regardant à travers la glace de la voiture le néon clignotant *Chez Jo*.

— N'est-ce pas extraordinaire?

Rien à faire, Jean ne pouvait s'empêcher de trouver cela extraordinaire. Son premier emploi.

— Mon Dieu! soupira son père. Je pourrais peut-être te trouver du travail à temps partiel à l'église, pour faire l'entretien.

Jean se croisa les bras.

— Jamais de la vie. Je veux travailler ici.

Il était décidé à tenir son bout cette fois-ci, même s'il devait discuter jusqu'à épuisement. C'était sans doute la première fois qu'il tenait autant à quelque chose, parce que c'était ce qui lui procurerait enfin l'indépendance qu'il souhaitait désespérément depuis son retour du camp. Il voulait s'affirmer, même s'il n'était pas encore très sûr de sa personnalité. Mais peut-être que ce travail allait lui permettre de se trouver.

— Allez, vous savez depuis combien de temps je cherche du travail et maintenant que j'ai trouvé, vous voulez me faire abandonner avant même d'avoir commencé.

Il savait que son père n'aimait pas les lâcheurs.

— Et le métro est juste à côté, dit-il en désignant la station.

Il y eut un long silence dans la voiture. On n'entendait que le ronron du moteur.

— Bien sûr, dit soudain son père. Tu as raison.

Jean leva les sourcils. Son père lui disait bien qu'il avait raison? Monsieur McKay se tourna vers sa femme.

— Je crois que nous devrions lui permettre d'accepter cet emploi.

Sa mère se contenta de secouer la tête, mais Jean savait que c'était dans le sac.

— Tu sais, mon garçon, à ton âge je travaillais déjà à temps partiel depuis plus d'un an. Et ce n'était pas non plus dans les meilleurs endroits, dit-il en ricanant.

— Où ça?

— Eh bien! continua son père, c'était dans un *pub*.

— Steven! Tu ne m'en as jamais parlé!

— Je n'avais que treize ans. Ma famille avait du mal à joindre les deux bouts et j'étais l'aîné. Des amis de mes parents, qui exploitaient le *pub* du village, m'ont engagé pour nettoyer les tables et laver les verres.

— Quoi?! s'exclama Jean. Raconte.

Il essayait d'imaginer son père adolescent. Il abandonna vite et écouta plutôt. Son père remit la voiture en route vers la maison.

— C'était quelques années après la guerre. La plupart des gens prospéraient à cette époque, mais pas nous. Mon père était voyageur de commerce et vendait la Bible de porte en porte...

Jean se cala dans la banquette arrière. Pour la première fois de sa vie, son père lui parlait comme à un ami. Il souriait, suspendu à ses lèvres. C'était un moment privilégié dont il avait souvent rêvé, un échange amical avec ses parents.

Mais ces moments étaient brefs et rares et, dès le lendemain matin, ils avaient encore une prise de bec.

— Je dois me dépêcher. Il faut que je sois à l'école de bonne heure, dit-il en courant à travers la cuisine.

— Tu dois prendre un petit déjeuner équilibré, insistait sa mère.

— Je prendrai un beigne à la cafétéria.

— Assois-toi, jeune homme, lui dit sévèrement son père. Tes oeufs sont déjà en train de cuire.

— Vous pouvez vous les partager. Tiens, je vais prendre une bonne pomme, c'est très nourrissant.

Il attrapa une pomme dans le bol sur le comptoir et se dirigea vers la porte.

— Ce n'est pas un petit déjeuner convenable, lui cria sa mère.

— T'en fais pas, maman. Je peux m'occuper de moi-même.

Il n'avait pas terminé sa phrase qu'il était déjà dehors. Il vola pratiquement jusqu'à l'école, se répétant en descendant la rue : «Je suis un travailleur».

Il attendit Épine à la porte de l'école. Dès qu'il l'aperçut, il lui lança :

— J'ai un emploi!

— Bravo! Où ça?

— *Chez Jo*, annonça-t-il fièrement. C'est Luc qui me l'a trouvé.

— Luc? fit Épine en plissant le front.

— Oui. Il travaille là-bas lui aussi. N'est-ce pas formidable?

— Je ne sais pas, Jean. J'ai entendu toutes sortes de rumeurs.

— Quel genre?

— Bien, que Luc prend de la drogue.

Jean la dévisagea.

— Épine! Toi, au moins, tu ne devrais pas croire les rumeurs.

— C'est vrai.

— En tout cas, Luc est formidable. C'est une des rares personnes qui a de la considération pour moi, par ici, dit-il en lorgnant vers l'école.

— Excuse-moi, dit Épine en souriant. Mais fais

attention.
— Tu parles comme mes parents. Personne ne veut donc croire que je suis capable de prendre soin de moi? J'ai trouvé du travail, non?
— C'est vrai. Félicitations! dit-elle en lui serrant cérémonieusement la main.
— Mais il y a une condition.
Épine le regarda sans comprendre.
— Si je te donne de l'argent, je dois voir Emma.
Il avait réfléchi la veille et croyait que ce n'était que juste. Trois semaines s'étaient écoulées depuis qu'Épine lui avait dit qu'il pourrait venir voir Emma après l'école, mais elle trouvait toujours une excuse. D'ailleurs, elle s'apprêtait encore à le faire.
— C'est juste que... elle est encore assez malade, commença-t-elle.
Mais Jean ne la laissa pas finir.
— Tu n'arrêtes pas de dire ça. Et je suis désolé qu'elle soit malade. Mais je ne vais pas la contaminer, je veux seulement la regarder.
Épine ne répondait toujours pas.
— C'est injuste. Si je te donne vingt dollars par semaine, il faut que je puisse la voir.
Épine baissa la tête un moment, puis le regarda de nouveau.
— D'accord, soupira-t-elle. Tu peux venir ce soir après l'école. Ma mère ne sera pas encore rentrée.
Elle s'éloigna. Jean resta planté au milieu de l'escalier, bousculé par les élèves qui se

précipitaient à leurs cours. Mais il les remarquait à peine. Enfin, il verrait sa fille.

Jean regardait dans le berceau, ébahi.

— Elle est magnifique, dit-il à voix basse pour ne pas la réveiller.

Il le pensait. Elle n'avait plus son aspect flétri et fragile. Maintenant, elle ressemblait à un bébé vigoureux et en bonne santé.

— Elle pourrait faire une publicité pour des aliments de bébé, dit-il avec conviction.

— Peut-être que je pourrais essayer de lui obtenir une audition, dit Épine en riant. Ça doit rapporter beaucoup.

Tout à coup, Emma ouvrit les yeux. Jean était sidéré. Il s'attendait à ce qu'elle se mette à pleurer mais, au lieu de cela, elle ouvrit sa petite bouche et grimaça un bâillement. Puis elle fit un rot.

— Eh ben! Quel bruit pour un si petit bébé, s'esclaffa-t-il.

Emma levait maintenant les yeux vers Épine et commençait à remuer dans son berceau, en tendant ses petits bras.

— Elle veut que tu la prennes, dit-il.

— Pourquoi ne la prends-tu pas, toi?

— Tu veux vraiment?

— Fais juste très attention. Soutiens sa tête et son dos.

Jean se pencha lentement sur le berceau, les mains tremblantes. Avec précaution, il glissa une main sous la tête d'Emma et l'autre sous son dos. Puis, très délicatement, il la souleva.

— Tu la tiens comme si elle empestait, ricana Épine. Tu peux la tenir plus près.

Tranquillement, il approcha le bébé de lui. Il craignait qu'elle se mette à hurler à tout moment, mais elle restait calme. Il la berça doucement contre sa poitrine et elle gazouillait avec délice dans son cou. Il la serra un peu. C'était une sensation merveilleuse, chaude et douce. Puis il la tint devant lui en lui faisant de larges sourires.

— Bonjour, Emma. C'est ton papa.

Emma sourit à son tour.

— Elle sait qui je suis, Épine. J'en suis sûr.

Épine souriait sans dire un mot quand soudain Emma éructa encore et fit un renvoi sur la chemise de Jean. Elle s'empressa de la lui prendre des bras.

— Emma! s'exclama-t-elle. Je ne sais vraiment pas pourquoi elle a fait ça. Elle n'a même pas encore mangé.

— Ce n'est rien, dit Jean.

Il ne pouvait quitter Emma du regard pendant qu'Épine la berçait en chantant doucement. Il avait l'impression de comprendre ce qu'était un miracle. Emma était un miracle. Pour la première fois depuis près d'un an, il pensa que Dieu existait peut-être.

Avant de partir de chez Épine, il nettoya sa chemise. Il était triste de ne pas pouvoir dire à ses parents qu'il avait vu Emma, mais il savait que c'était peine perdue. Ça ne ferait que des histoires. Il se mit à penser à l'année dernière, à peu près à la même époque, quand il avait commencé à leur mentir. Il se rappelait à quel point il rougissait et combien il se sentait coupable. Maintenant il ne rougissait plus, mais il se sentait toujours coupable. Moins, cependant, et moins souvent.

Il embrassa Emma une dernière fois avant de s'en aller.

Chapitre 12

— Une omelette spéciale tournée avec frites! cria Luc de la caisse à Jean qui suait au-dessus du poêle.

Jean lança aussitôt une poignée de jambon et d'oignons hachés dans un bol, y cassa deux oeufs et brassa vigoureusement. Il vida le tout sur la plaque et le mélange se mit à rissoler. Chaque fois qu'il travaillait, il rentrait à la maison en empestant la friture.

Il avait remarqué que Luc se gardait toujours les tâches aisées, comme la caisse, tandis que lui se tenait au poêle et faisait le ménage le soir. Mais ça lui était égal. Il adorait travailler chez Jo et, après tout, Luc était son supérieur. Il ferait sans doute la même chose à sa place.

Depuis quelque temps, ses heures avaient augmenté. Il travaillait souvent le dimanche, ce qui signifie qu'il manquait l'office religieux. Il ne s'en plaignait pas mais il savait que ça ennuyait ses parents. Quand cela arrivait, il se levait très tôt le dimanche matin et leur préparait un copieux petit déjeuner, comme il avait appris à le faire chez Jo.

— Tu ne pourrais pas refuser de travailler le dimanche? lui avait un jour demandé sa mère en sirotant son café. Tu sais combien c'est important pour ton père que tu viennes à l'église.

Jean le savait et se sentait parfois mal à l'aise. Mais être avec Luc et gagner des sous le dimanche, qui était à ses yeux le jour le plus ennuyeux de la semaine, l'attirait beaucoup plus que d'aller à l'église.

— Jo avait vraiment besoin de quelqu'un, avait-il répondu en faisant frire le bacon. Je ne pouvais pas refuser.

— En tous les cas, ça fait plaisir de voir que tu aimes ton travail.

— Tu veux tes oeufs tournés ou au miroir?...

À la maison, les relations étaient moins tendues ces derniers temps et Jean était sûr qu'il le devait en partie à son travail. D'abord, ça l'éloignait de la maison plus souvent et, surtout, ses parents appréciaient qu'il prenne son travail au sérieux. Il ne demandait même plus son allocation, ce qui lui donnait la satisfaction de se sentir «financièrement indépendant». Son père en était fier aussi et il l'avait accompagné à la banque lorsqu'il avait reçu sa première paye, pour y ouvrir son propre compte. Il avait même ajouté au premier dépôt de son fils une somme équivalente, ce qui lui faisait presque cent dollars en banque.

Pendant un certain temps, il avait réussi à faire des économies, même en donnant vingt dollars par semaine à Épine. Puis il avait découvert qu'il y avait mieux à faire avec son argent.

Luc et lui travaillaient ensemble depuis quelques semaines. Mais même s'ils s'entendaient bien, leur amitié se limitait à l'école et au restaurant, contrairement à ce que Jean aurait souhaité. Luc avait beaucoup d'amis plus âgés que lui. Ils s'arrêtaient souvent au restaurant et, quand Jo était absent, Luc leur offrait gratuitement des frites et bavardait avec eux pendant que Jean travaillait derrière le comptoir. Il enviait Luc. Avec autant de copains intéressants, c'était bien normal qu'il n'ait pas envie de traîner avec lui après le travail.

Le samedi soir, après la fermeture du restaurant, ils partaient chacun de leur côté : Jean chez lui, où il regardait la télévision avant d'aller au lit, et Luc s'en allant faire la fête. Il le savait parce que le lendemain Luc se plaignait souvent de sa gueule de bois ou de son manque de sommeil. Jean, frais et dispos, aurait aimé pouvoir en dire autant car, même si Luc était un peu amoché le dimanche, de toute évidence il s'amusait beaucoup plus que lui le samedi soir.

Or un bon samedi soir qu'il nettoyait le restaurant pendant que Luc comptait l'argent de la caisse, il eut une surprise.

— Je n'ai rien à faire, ce soir, dit Luc d'un air découragé. J'ai appelé tout le monde que je connais.

— Dommage, marmonna Jean en récurant le poêle.

C'est alors que Luc ajouta nonchalamment :

— Tu veux venir chez moi, quand on aura fini ici?

Jean leva les yeux, étonné. Il fit mine de réfléchir avant de répondre.

— Ouais, pourquoi pas?

— On pourrait s'acheter de la bière.

— De la bière? dit Jean, regrettant aussitôt sa naïveté.

— Bien sûr. Tu ne bois jamais?

— Euh... non, pas vraiment. Mes parents ne boivent pas, alors il n'y a jamais d'alcool à la maison.

— Tes parents ont l'air drôlement ennuyeux, dis donc.

— Oui, peut-être. D'une certaine façon.

— Alors, tu viens?

— D'accord.

— Tu as de l'argent? Je suis un peu serré, jusqu'à la prochaine paye.

— J'ai dix dollars, dit Jean en fouillant dans ses poches. Mais comment obtiendrons-nous de la bière?

— J'ai une fausse carte d'identité.

Luc arbora une carte plastifiée qui avait vraiment l'air fausse. Jean se demanda comment ça pourrait marcher.

Mais ça avait marché car, un peu plus tard dans la soirée, Jean avait pu voir Luc sortir du dépanneur avec six canettes de bière.

— Tes parents savent que tu bois? demanda Jean pendant qu'ils se rendaient chez Luc.

— Bien sûr.

Jean resta bouche-bée.

— Et ça leur est égal?

— Ouais. Ils boivent eux aussi, dit-il en éclatant de rire. Un jour, mon père a découvert des canettes de bière dans ma chambre. Quand je suis arrivé, il s'est mis à me sermonner sur les méfaits de l'alcool. Et tu sais ce qu'il tenait à la main? Une de mes bières, déjà à moitié vide.

Jean se força à rire, abasourdi.

— Et qu'est-ce qui est arrivé après?

— Je l'ai traité d'hypocrite.

— Tu lui as dit ça?

— T'en fais pas, il m'a dit bien pire. Alors je lui ai répondu qu'il ferait mieux de me remplacer ma bière!

— Et il l'a fait?

— Bien sûr que non, mais plus tard je lui ai piqué une caisse de vingt-quatre.

— Une caisse de vingt-quatre?

— Ben oui! Vingt-quatre bières, quoi!

— Ah oui, oui.

— Nous y voilà, annonça Luc.

Une fois à l'intérieur, Jean jeta un regard circulaire sur la chambre de Luc, située au sous-sol chez ses parents. La pièce était encombrée de vieux meubles. Il y avait à un bout un divan-lit recouvert d'un tissu écossais, avec à côté un fauteuil inclinable, et à l'autre bout un vieux poste de télé noir et blanc et une chaîne stéréo flambant neuve. Des affiches de groupes rock ornaient les murs et le plancher était recouvert d'un épais tapis vert. Il y avait même une entrée privée par le garage. Luc avait vraiment tout pour lui!

— C'est tout à fait renversant! s'exclama Jean.

— Ouais, c'est comme si j'avais mon propre appartement. Je ne vois presque jamais mes parents.

— Ça ne les embête pas?

— Non, ça fait leur affaire. Je ne les dérange pas et ils ne me dérangent pas.

— Bon système.

Luc ouvrit une bière et la tendit à Jean.

— Merci pour l'argent, dit-il. Je te rembourserai la semaine prochaine.

— Pas de problème, répondit Jean, sa bière à la main.

Il hésita, puis prit une grande gorgée qu'il faillit cracher tellement il trouvait le goût amer. Il en prit une autre et, après quatre ou cinq, ça lui sembla moins mauvais.

— J'aimerais bien avoir un coin comme ici, s'émerveilla-t-il en se laissant tomber dans le fauteuil inclinable.

— Ouais. Je peux rentrer et sortir quand je veux. J'ai quinze ans, après tout.

Jean pensa qu'il aurait quinze ans, lui aussi, dans moins de quatre mois, mais qu'il n'avait pas le quart de la liberté de Luc. À peine une heure auparavant, il avait dû supplier ses parents pour avoir la permission de venir ici. Finalement, il avait demandé s'il pouvait rester pour la nuit et ils avaient accepté à condition qu'il soit de retour de bonne heure pour aller à l'église le lendemain, puisqu'il ne travaillait pas.

Il secoua sa bière et s'aperçut qu'elle était presque vide. Luc lui en tendit une autre, puis il sortit d'un tiroir un petit paquet emballé dans du papier d'aluminium. Jean le regarda l'ouvrir, curieux. On aurait dit un petit morceau de chocolat. Luc en émietta une petite quantité dans un papier à cigarettes. Jean comprit tout à coup que ça devait être du haschisch.

— Va mettre un disque, dit Luc.

Jean se dirigea vers la collection de disques. Il devait bien y en avoir une centaine. Il les passa en revue, sans trop savoir quoi choisir. La plupart des groupes lui étaient inconnus et il ne voulait pas se tromper. Comme il y avait plusieurs albums des *Rolling Stones*, il pensa que ça serait un bon choix. Il posa le disque sur la table tournante.

— Mets-le plus fort, lui dit Luc.

Jean monta le volume, au point qu'ils devaient

crier pour s'entendre. Mais ça semblait plaire à Luc. Celui-ci alluma son joint et en tira plusieurs bouffées, puis le passa à Jean, qui hésitait.

— Tu as déjà fumé?

— Non, dit Jean, sachant que Luc ne le croirait pas s'il mentait. Seulement des cigarettes.

— Y a rien là. Prends juste une grande bouffée et essaie de la retenir le plus longtemps possible, mais pas juste dans ta bouche, dans ta poitrine.

Jean prit le joint entre deux doigts et le regarda fixement. Tout ce qu'il connaissait de la drogue était ce que ses parents lui en avaient dit et ce qu'il avait vu dans des films à l'école. L'impression qu'il en avait était que s'il fumait un seul joint, il en mourrait.

— Qu'est-ce... qu'est-ce que ça fait au juste?

— Ça ne te fera pas de mal, répondit Luc avec impatience. Ça décontracte, c'est tout.

Jean ne voulait pas gâcher cette soirée. Il rêvait depuis si longtemps d'être l'ami de Luc et il ne voulait surtout pas qu'il le prenne pour une poule mouillée. Il prit donc une grande bouffée qu'il essaya de retenir, mais il s'étouffa. Il essaya de nouveau et, cette fois, il put garder la fumée quelques secondes. Il était fier de lui.

Assis par terre sur un coussin, Jean était aux anges et riait à tout ce que disait Luc.

— Ça doit être emmerdant, de penser que tu as déjà un enfant, dit Luc.

— Qui aurait pu croire, dit Jean en riant bêtement, que ça m'arriverait à moi? Je veux dire, si on t'avait demandé, l'année dernière, de deviner qui, à Degrassi, serait père dans un an, aurais-tu pensé à moi?

Même Luc ne put s'empêcher de rire à cette idée.

— Pour être franc, non.

Il tendit à Jean le flacon de whisky. Comme ils avaient fini la bière une heure plus tôt, Luc était allé fureter dans la provision d'alcool de ses parents et il était redescendu avec une demi-bouteille de whisky.

— Prends une autre gorgée.

Jean s'exécuta, en se disant avec satisfaction que ça, c'était la vraie vie.

— Je ne peux pas croire que tu lui donnes vingt dollars par semaine, bonhomme.

Cette fois, Jean n'avait pas envie de rire.

— Tu sais, c'est mon bébé aussi.

— Mais c'est elle qui a voulu le garder. Qu'est-ce que tu feras dans quelques années? Elle sera probablement mariée ou habitera dans une autre ville et tu ne reverras jamais ton bébé. Ton seul souvenir sera de lui avoir donné des centaines, sinon des milliers de dollars, que tu aurais pu utiliser pour te payer du bon temps.

Jean ne savait que répondre. Il n'avait jamais pensé aussi loin.

— Passe-moi la bouteille, dit-il.

Il prit une autre gorgée et repassa la bouteille à Luc. Tout à coup, il se sentit moins bien et, en quelques secondes, il eut la nausée. Luc avait dû s'en rendre compte parce qu'il lui demanda si ça allait. Jean secoua la tête mais il n'eut pas le temps de se lever et vomit sur le vieux tapis de la chambre de Luc.

La semaine suivante, Luc garda ses distances. Jean ne pouvait pas lui en vouloir car, après tout, c'est Luc qui avait dû tout nettoyer puisque lui était aussitôt tombé dans les pommes. Il avait terriblement honte. Juste comme ils devenaient des amis, il avait fallu qu'il aille vomir sur le plancher de Luc. Si au moins il s'était agi d'un plancher au lieu de cet horrible tapis vert.

Le mardi, donc, Luc lui parla à peine, sauf pour lui crier des commandes. Jean travaillait sans dire un mot. Le vendredi, il arriva au restaurant la tête basse et se mit au boulot d'un air distrait. À deux reprises, il brûla des hamburgers.

— Alors, lui dit Luc après le deuxième dégât. Qu'est-ce qui t'arrive?

— Les bulletins de mi-session ont été distribués aujourd'hui.

— Oui, et après?

— Mes notes ont baissé. Beaucoup, même.

— Montre-moi ça.

Jean montra son bulletin à Luc.

— Tu as quelques B et quelques C. Et alors?

— Bien... d'habitude j'ai des A et occasionnellement un B, dit-il d'un air gêné.

C'était bizarre de se sentir embarrassé pour une

chose dont il avait toujours été très fier.

— Ben dis donc!

— Oh! ça ne me dérange pas tellement, mentit-il. C'est plutôt à cause de mes parents. Ils ont accepté que je travaille à condition que mes notes ne s'en ressentent pas, sans quoi je devrai abandonner.

— Tu ne devrais pas laisser tes parents dire des conneries pareilles, bonhomme. T'es presque un adulte.

Puis, après un moment de réflexion, Luc eut une idée et demanda à Jean de le suivre dans le bureau de Jo, à l'arrière du restaurant.

— Regarde, dit-il en s'assoyant au pupitre, sur lequel trônait une vieille machine à écrire. Tu mets une fine couche de correcteur liquide sur les lettres que tu veux changer, puis tu laisses sécher complètement. Ensuite, tu places ton bulletin dans la machine, tu alignes et tu tapes tes nouvelles notes améliorées. Tes parents regardent, signent, et le tour est joué! J'ai déjà fait ça à l'occasion, quand mes notes étaient si mauvaises que même mes parents auraient mal réagi.

— Et l'école? Ils vont vérifier dans leurs dossiers.

— Penses-tu! J'ai fait ça trois fois et je ne me suis jamais fait prendre. Ils jettent seulement un coup d'oeil à la signature et classent le tout. À part ça, dit-il avec un clin d'oeil, comment pourraient-ils croire que toi, tu ferais une chose pareille!

Jean sourit sans conviction.

— Écoute, t'es pas obligé de le faire. C'était juste une suggestion.

Jean regardait son bulletin d'un air découragé. S'il ne le faisait pas, Luc le prendrait pour un froussard. Et puis, ses parents seraient déçus et l'obligeraient à laisser tomber son travail. D'un autre côté, s'il le faisait, non seulement il pourrait garder son travail et continuer d'aider Épine, mais ses parents seraient heureux et sa réputation serait sauve aux yeux de Luc. Puis il était certain de faire remonter ses notes en janvier, au prochain bulletin.

— D'accord, dit-il en s'assoyant devant la machine à écrire.

Luc alla prendre la relève en avant et, pendant une heure, Jean s'évertua à changer ses trois C en B. Il ne voulait pas dépasser la mesure en ajoutant des A et il était sûr que ses parents seraient pleinement satisfaits avec des B.

À neuf heures, comme ils s'apprêtaient à partir, Luc lui demanda :

— Tu viens faire la fête?

Voyant l'étonnement de Jean, il rajouta :

— T'en fais pas, c'était la première fois la semaine passée. J'ai fait la même chose, la première fois. Ce soir, on ne touchera pas au whisky.

— D'accord, dit Jean.

— On s'arrêtera au dépanneur en passant pour acheter de la bière.

Jean attrapa son manteau. Il avait hâte de retrouver la sensation qu'il avait éprouvée après la bière. Il s'était senti si décontracté et heureux.

— T'as de l'argent? demanda Luc d'un air détaché. J'ai pas oublié ce que je te dois mais c'est juste que j'ai déjà flambé toute ma paye.

Jean hésita avant de répondre :

— Bien sûr. J'ai des tonnes d'argent.

Le lendemain, Jean était assis devant le petit déjeuner avec ses parents, la tête lourde. Il devait bientôt partir travailler. Il savait qu'ils avaient vu son bulletin, puisqu'il l'avait laissé sur la table de la cuisine la veille avant de tomber dans son lit.

— Nous avons vu ton bulletin, mon garçon, commença son père.

Jean baissa le nez dans son assiette et fit mine de manger ses oeufs. Son père avait la voix grave. Les petits mensonges qu'il leur faisait de plus en plus fréquemment étaient une chose mais, cette fois, il avait dépassé les bornes.

— Nous savons que tes notes ont baissé, continua monsieur McKay.

Jean déposa sa fourchette. Il commençait à regretter de s'être laissé influencer par Luc.

— ...mais compte tenu de l'ardeur que tu mets dans ton travail, je dois dire que nous sommes fiers de toi, mon garçon.

Jean s'étouffa et son père lui donna une grande tape dans le dos.

— Ça va?
— Oui, oui. J'ai avalé de travers.
— Nous sommes heureux que tu sois si responsable, mon chéri, ajouta sa mère. Avec toutes les heures que tu consacres à ton travail chaque semaine, nous sommes impressionnés que tu t'en tires avec des B.

Arrivé au travail, il raconta à Luc ce qui s'était passé.
— Bravo! fit-il en lui tapant sur l'épaule. Ah! les parents! Ils sont tellement faciles à duper.
Jean s'efforça de sourire mais il savait que ce n'était pas le cas de ses parents. Ils avaient confiance en lui, c'est tout. Il ne pouvait se débarrasser du sentiment de culpabilité qui le tenaillait depuis le matin.
— Félicitations! dit Luc. Je suis content, tu sais. Ç'aurait été moche que tu ne puisses plus travailler ici.
Comme Jean ne réagissait pas, il continua pour l'encourager :
— T'as fait ce qu'il fallait faire, bonhomme. Qu'est-ce que c'est que quelques notes!
Jean sourit, pour vrai cette fois. Luc avait raison. Il lui donnait de bons conseils, tout comme Charlie. C'était une situation délicate mais il s'en était bien tiré.
Il se mit à siffler en déposant les bouteilles de ketchup sur les tables, le coeur allégé.

Chapitre 13

C'était le dernier jour d'école avant les vacances de Noël. Jean était assis tout seul dans la cafétéria devant un reste de sandwich au thon. Il tenait à la main une carte de Charlie. Il lui avait écrit trois fois depuis septembre et, ce matin, il avait enfin reçu un mot de lui.

Salut Plouc. Merci pour tes lettres. Je regrette de n'avoir pas répondu avant aujourd'hui. Comme je te l'ai dit, je parle beaucoup mais j'écris peu. Je suis content que tout aille mieux pour toi. Mais peut-être que tu as mal interprété quelques-uns de mes conseils? Tu me connais, je raconte toujours n'importe quoi à propos de tout et de rien. En tout cas, fais attention. Je suis vraiment content que tu t'amuses mais l'alcool et la drogue, c'est un peu fort, non? Je ne veux pas te faire la morale, vieux frère, mais dis donc, je veux que tu reviennes au camp l'été prochain!

Car tu reviendras, pas vrai? Je te laisse, j'ai déjà une crampe dans la main. Joyeux Noël, Plouc, et écris-moi encore. Ton copain, Charlie.

Jean relut la carte, puis la fourra dans sa poche. Il avait cru que Charlie serait impressionné par son nouveau style de vie. Peut-être après tout que son ami n'était pas aussi d'avant-garde qu'il le croyait. De toute façon, il aimait bien sortir avec Luc et ils étaient toujours ensemble, maintenant. Il savait pourtant que leur amitié n'était pas équitable. C'était toujours Luc qui décidait où ils allaient, ce qu'ils faisaient et avec qui. Et, le plus souvent, c'était Jean qui payait pour ce que Luc appelait «les petits à-côtés». Mais ça lui était égal de payer pour la boisson, car il aimait boire. Il avait même l'impression de mieux s'intégrer quand il était ivre. Même Luc lui disait qu'il était plus rigolo quand il buvait. Jean se disait parfois que c'était ridicule, qu'il devrait se contenter d'être lui-même, mais il repoussait vite cette idée. Être lui-même, ça voudrait dire n'avoir plus d'amis.

Il était fier de se montrer en compagnie de Luc. Avec lui, on ne s'ennuyait jamais. Ils ne se tenaient plus tellement avec Bernard, Joey ou Anguille, ni avec les autres garçons de Degrassi, qui n'aimaient pas leurs distractions. Bernard les trouvait stupides de boire mais Jean, lui, le trouvait tout simplement attardé. En fait, il ne pouvait pas croire qu'il avait déjà pu tenir à eux.

Maintenant qu'il avait les amis de Luc, il

n'avait pas besoin d'amis à Degrassi. Pendant que des gars comme Joey allaient au cinéma ou dans les salles de jeux électroniques, Jean et Luc se payaient de super beuveries. Parfois, après avoir fait la bombe, ils s'entassaient tous dans la voiture des parents de l'un d'eux et allaient se promener. Jean savait que c'était stupide et dangereux, mais il ne voulait pas être un trouble-fête. De plus, c'était excitant de vivre sur la corde raide.

— Oh! Regardez, tout le monde, regardez!

La voix criarde d'Alexa, à l'autre bout de la cafétéria, le sortit de sa rêverie. Et comme les voix montaient, il se tourna pour voir la raison de toute cette cohue.

À sa grande surprise, il vit Épine qui marchait vers ses amies avec le siège d'Emma dans les bras. Il s'approcha un peu, pour constater que la petite Emma était dans son siège.

— Qu'est-ce qu'Emma fait ici? entendit-il Érica demander.

— La fille qui s'occupe d'elle pendant la journée était prise aujourd'hui et ne pouvait pas la garder.

Une foule se rassembla autour d'Épine. Jean eut soudain envie de leur dire de ne pas s'approcher si près. Ce n'était qu'un petit bébé, après tout, et ils pouvaient lui passer un rhume ou une autre infection plus grave. Mais il se retint. Il savait qu'il n'avait pas le droit de se faire paternel tout à coup. Au cours des deux derniers mois, il n'avait vu Emma que deux fois. Et ce n'était pas parce qu'Épine l'en empêchait, au contraire. Chaque fois qu'il lui remettait les vingt dollars hebdomadaires, elle lui demandait s'il voulait venir la voir. Mais il avait toujours une bonne excuse et elle finit par ne plus insister.

Peut-être essayait-il d'éviter de voir Emma. Après tout, il donnait vingt dollars par semaine à Épine, c'est-à-dire quatre-vingts dollars par mois! Il en faisait déjà bien assez, se disait-il.

La voix d'Alexa le ramena sur terre encore une fois.

— Comme elle est mignonne! s'écriait-elle.

— Tu devrais être là quand elle ne veut pas s'endormir, dit Épine en riant. Tu verrais qu'elle n'est pas si mignonne.

Jean attrapa son cartable et jeta son sandwich à la poubelle, puis se dirigea lentement vers le groupe. Il tendit le cou au-dessus des têtes pour voir Emma. Elle était sage comme une image dans son petit siège, regardant autour d'elle comme étonnée que tout ce monde vienne l'admirer. Jean eut l'impression qu'elle avait surpris son regard car elle fit un petit sourire juste dans sa direction. Il se fraya un chemin parmi les élèves attroupés.

— Puis-je la prendre? dit-il brusquement.

Épine leva la tête, surprise. Elle hésita et Jean perçut une étincelle dans ses yeux, comme si elle ne savait pas trop sur quel pied danser. Peut-être que l'esprit de Noël l'emporta, ou peut-être l'idée des vingt dollars qu'il allait bientôt lui donner, mais toujours est-il qu'elle fit un signe affirmatif.

La foule s'écarta presque avec respect pour laisser passer Jean. Après tout, il était le père de cette adorable petite créature. Il la prit doucement, étonné de retrouver les gestes qu'il fallait, et comme tout le monde le dévisageait, il s'éloigna à l'autre bout de la cafétéria.

— Salut, Emma, c'est ton papa, murmura-t-il.

Il s'assit et la berça doucement. Elle lui souriait et il déposa un baiser sur son front lisse.

— Je ne te vois pas très souvent, mais ça ne veut pas dire que je ne t'aime pas, tu sais.

Elle cligna des yeux à quelques reprises, puis ses yeux se fermèrent pendant qu'il la berçait.

— Je travaille fort, Emma, murmura-t-il. Qui sait, peut-être qu'un jour Luc et moi aurons un appartement et tu pourras venir nous rendre visite.

La cloche annonçant la reprise des cours se fit entendre, sans qu'Emma se réveille. Épine se tenait derrière lui.

— Je dois l'emmener au cours de maths, dit-elle doucement.

Il se leva et s'approcha d'Épine. Ils contemplaient Emma et Jean se dit que si on les photographiait en ce moment, ils auraient l'air d'une vraie petite famille.

— Joyeux Noël, Emma, murmura-t-il en

l'embrassant une dernière fois avant de la tendre à Épine.

— Comment ça va pour toi, Jean? demanda-t-elle avec un brin d'inquiétude dans la voix.

— Très bien, pourquoi?

— Oh! tu sais, dit-elle presque en s'excusant, les rumeurs...

— Qu'est-ce que tu veux dire?

— Bien, que Luc et toi buvez et prenez de la drogue.

— Je ne peux pas le croire! grommela-t-il. Et puis après? On sait ce qu'on fait.

Épine l'examina un moment.

— Quand tu parles comme ça, tu ressembles plus à Luc qu'à Jean McKay.

— Eh bien! peut-être que Jean McKay a changé.

— Ça va, ça va. Sois prudent quand même.

— Oui, maman, dit-il sans pouvoir s'empêcher de sourire. Décidément, on peut dire que tu es devenue une mère!

— Je suppose qu'on peut le dire, en effet.

— De toute façon! Je suis indépendant.

— Tu sais, dit Épine gravement, je trouve que ce mot-là revient souvent dans ta conversation, depuis quelque temps. Mais il y a une différence entre être indépendant et faire l'idiot.

— Je t'en prie, Épine.

— Je crois seulement que c'est stupide de boire et de prendre de la drogue.

— T'en fais pas pour moi, tu veux?

Et regardant sa montre, il ajouta :

— Emma et toi allez être en retard pour les maths.

— Tu as raison, dit-elle en se penchant vers sa fille. Viens, Emma. On va aller étudier les nombres entiers.

Et comme elle s'éloignait, elle entendit Jean lui crier :

— Joyeux Noël, Épine.

— Joyeux Noël à toi aussi, Jean.

Chapitre 14

Jean rentrait de l'école en se traînant les pieds. Ses bottes s'enfonçaient dans la neige sur le trottoir qui n'avait pas été déblayé. Il était à peine quatre heures et il faisait presque nuit. Il détestait l'hiver. Mais comme on n'était qu'à la fin janvier, il restait encore deux longs mois à supporter.

Il se sentit mieux en entrant dans la maison. Au moins c'était vendredi et personne n'était encore rentré. Il alluma les lumières du rez-de-chaussée et monta à sa chambre, où il ouvrit le dernier tiroir de son pupitre. C'était son tiroir secret; il était muni d'une clef qu'il dissimulait dans une boîte sur sa commode. Lorsqu'il était petit, il y cachait des trésors comme ses billes préférées ou des cailloux qu'il imaginait être de l'or. Maintenant, ce qu'il y mettait était bien différent.

Il en sortit son dernier bulletin et l'examina en rageant mentalement contre lui-même. Aucune de ses notes ne s'était améliorée depuis novembre. Il avait même un C de plus. Mais ce n'était pas le pire. Il avait reçu son bulletin le lundi et, le mardi, il avait essayé de le trafiquer chez Jo. Comme il n'avait pas laissé sécher le correcteur liquide assez longtemps, il se retrouvait avec un B tout embrouillé. Le résultat était si désastreux qu'il ne pouvait en aucun cas le montrer à ses parents. Ceux-ci avaient d'ailleurs commencé à lui demander quand il recevrait son bulletin. Quant à son titulaire, monsieur Garcia, il s'inquiétait que Jean ne le lui retourne pas signé par ses parents. Jean finit par prétendre qu'il l'avait perdu et monsieur Garcia avait eu la gentillesse de lui dire qu'il lui en fournirait une copie. Mais ce ne serait qu'une copie, qu'il ne pourrait pas modifier.

Il essayait de voir les choses positivement. S'il se montrait surpris et honteux de ses notes et s'il promettait de rester à la maison un soir toutes les fins de semaine pour étudier, peut-être que ses parents ne seraient pas trop contrariés.

Il remit le bulletin dans le tiroir, où il n'y avait que deux autres articles : son relevé de dépenses hebdomadaires et un petit sac de marijuana qu'il avait acheté environ un mois auparavant de Michel, un ami de Luc. Quand Luc lui avait parlé de Michel, il s'était attendu à voir un garçon aux longs cheveux graisseux et aux yeux hagards, mais il s'était trouvé en face d'un garçon bien mis, vêtu d'une veste de cuir coûteuse et d'une chemise polo. Il n'aimait pas vraiment Michel mais il ne disait rien, pour ne pas déplaire à Luc. Ils ne le rencontraient pas très souvent, sinon à des soirées ou quand Luc voulait se procurer un peu de hasch ou de mari. La plupart du temps Jean n'achetait rien pour lui mais il prêtait souvent de l'argent à Luc.

Un jour, Luc l'avait fortement incité à acheter sa propre réserve, sous prétexte qu'il fumait la sienne. Ce n'était pas tout à fait vrai. Chaque fois que Luc allumait un joint, Jean n'osait pas refuser, mais il prenait à peine quelques bouffées. En fait, il n'aimait pas la sensation que ça lui procurait. Par contre, il aimait boire, surtout de la bière, et une bonne part de son argent y passait. Chaque fois qu'il buvait de la bière, il se sentait plus intéressant et plus drôle.

— Bonjour, mon chéri.

Il sursauta et referma du pied le tiroir.

— Euh... bonjour, maman. Tu as eu une bonne journée?

— Oui, très bonne. J'ai donné du sang ce matin, puis cet après-midi je suis allée à la réunion des dames chrétiennes. Nous essayons de trouver un moyen de sensibiliser les jeunes aux dangers des drogues par l'intermédiaire de l'église, sans trop moraliser. Tu as des idées?

— Euh... non.

— Évidemment, que je suis bête! Tu n'as jamais

été attiré par ce genre de choses, toi.

Jean se força à sourire.

— Descendons, maman. Je meurs de faim.

En se dirigeant vers la cuisine, elle lui demanda s'il comptait sortir ce soir-là.

— Oui, je vais chez Luc.

— Il a l'air gentil, ton ami. Tu devrais l'inviter à souper, un soir.

Jean avait du mal à imaginer la scène : sa mère, son père, Luc et lui assis autour de la table de la salle à manger. Il voyait déjà la tête de Luc quand son père commencerait à réciter les grâces. Il alla ouvrir le frigo.

— Je passerai peut-être la nuit là-bas, puisque je dois travailler demain.

— Très bien. Pourvu que tu sois de retour pour l'office de dimanche.

Jean sourit en lui-même. Ses parents ne lui posaient plus de questions quand il demandait la permission de rester chez Luc.

— Au fait, quand dois-tu recevoir ton bulletin?

— Lundi, dit-il.

— Il est un peu en retard, cette fois-ci.

— Vraiment? Je n'ai pas remarqué.

Après le souper, il remonta à sa chambre pour prendre un vêtement de rechange et de l'argent avant d'aller chez Luc. Il ne pouvait se débarrasser du sentiment de culpabilité qui le poursuivait à propos de son bulletin. Ça l'ennuyait de toujours de sentir coupable pour de pareilles vétilles mais il commençait à trouver que ses mensonges s'accumulaient à un tel rythme qu'il allait bientôt y sombrer.

— Sombrer dans une mer de mensonges... murmura-t-il. Quelle métaphore! Pourquoi n'y ai-je pas pensé à l'examen de français? Ah! de toute façon, dans quelques heures je me noierai dans une mer de bière!

Il quitta la chambre en riant, sans remarquer qu'il avait oublié de refermer à clef le dernier tiroir de son pupitre.

Il rentra à la maison le dimanche matin, la tête lourde de toutes les bières qu'il avait englouties. Il n'avait pas parlé à ses parents depuis le vendredi soir, quand il était parti chez Luc, et il essayait de trouver une bonne excuse pour éviter d'aller à l'église. Tout ce qu'il voulait, c'était se précipiter dans son lit et dormir. Mais il entendit la voix de son père qui l'appelait d'un ton péremptoire.

— Jean, viens ici tout de suite!

Il se dirigea vers la cuisine, où ses parents étaient assis à la table, l'air complètement défaits. Il ne leur avait pas vu cet air depuis — il se creusa les méninges un instant — depuis qu'il leur avait avoué à propos d'Épine.

— Qu'est-ce qui ne va pas?

Une pensée terrible lui traversa l'esprit. Le bébé. Il était arrivé quelque chose à Emma. Puis en baissant les yeux sur la table il vit tout le contenu de son tiroir secret étalé : la mari, son relevé de dépenses et son bulletin. Il sentit ses genoux flancher sous lui.

— Assois-toi, dit lentement son père.

Jean ne bougea pas. Non qu'il ait voulu désobéir, mais il était médusé. Soudain, monsieur McKay se leva, le prit par les épaules et l'assit sur la chaise. Jean fut surpris par la force de son père, dont la poigne l'irrita.

— Assois-toi, cria-t-il, même si Jean était déjà assis.

— Je peux t'expliquer...

— Alors essaie, dit tristement son père. Essaie, je t'en prie.

Mais Jean ne trouvait rien à dire. Pour la première fois depuis longtemps, il était à court de mensonges.

— Eh bien! la mari... je n'y ai jamais touché. Je le jure. J'en ai acheté pour... pour faire comme Luc.

Il jeta un coup d'oeil à ses parents, pour voir leur réaction. Mais ils étaient assis sans bouger, la tête inclinée. Il poursuivit.

— Le bulletin... quand j'ai vu mes notes, j'ai eu peur que vous m'obligiez à quitter mon travail. Alors j'ai essayé de les changer. Puis j'ai réalisé que c'était stupide et... j'ai dit à monsieur Garcia que je l'avais perdu; il devait m'en donner une copie lundi, que j'avais l'intention de vous remettre telle quelle.

— Oh! Jean! soupira sa mère. Pourquoi t'enfoncer davantage? Nous avons parlé à monsieur

Garcia, qui nous a dit que tes notes étaient aussi mauvaises en novembre. L'école a vérifié. Je ne peux pas croire que nous n'ayons rien remarqué, mais...

— Pourquoi diable aurions-nous remarqué? trancha son père. Pour quelque raison idiote, ta mère et moi avons cru que nous pouvions enfin te faire confiance!

— Vous le pouvez...

— Assez. C'est assez! Tu t'es moqué de nous toute l'année. Tu dois nous prendre pour de vieux idiots.

Jean sentit sa gorge se nouer.

— Non. Ce n'est pas vrai! Je n'ai pas voulu vous blesser davantage, c'est tout. Je sais que j'ai eu tort... mais tout semblait vouloir s'arranger et je ne voulais pas tout ruiner encore une fois.

— C'est trop tard, dit calmement sa mère.

— Et ceci! dit son père en agitant sous son nez son relevé de dépenses. Vingt dollars par semaine à Épine. J'aurais pu passer par-dessus cela, mon garçon. Après tout, c'est ton argent. Mais douze dollars par semaine pour de la bière?!

Il lança la feuille sur la table d'un air dégoûté.

— Nous t'envoyons au collège privé, Jean, dit madame McKay. Et cette fois c'est sérieux. Tu commences dans deux semaines. Nous n'avons pas pu te faire entrer avant.

Il resta bouche bée. Deux semaines! Tout chavirait dans sa tête.

— Mais... pourquoi... pourquoi dépenser tout cet argent seulement pour quelques mois? Pourquoi ne pas me mettre plutôt en pénitence?

— Ne vois-tu pas, Jean, dit sa mère avec lassitude, que ton père et moi ne savons plus où donner de la tête? Il ne s'agit même pas de punition. Nous ne savons tout simplement plus quoi faire avec toi.

Après un silence, Jean dit calmement :

— Mais je peux m'occuper de moi-même.

— Pour l'amour de Dieu! cria son père en donnant un coup de poing sur la table. T'entends-tu parler?

— Ce n'est pas facile, à notre âge, ajouta sa mère, d'élever un adolescent. Mais je croyais vraiment que nous commencions à bien nous en tirer.

Sa voix se brisa et Jean put voir couler ses larmes.

— Je vous jure que je n'ai pas voulu vous blesser, murmura-t-il.

— Ce que tu voulais surtout, corrigea son père, c'est nous cacher la vérité. Tu te fiches éperdument de nos sentiments.

— Écoutez, je sais que j'ai commis quelques erreurs...

— Mais tu ne te rends pas compte, Jean? dit sa mère, éberluée. Il ne s'agit pas seulement de quelques erreurs. Tu es complètement sur la mauvaise voie.

— De l'opinion de qui?

— La nôtre, celle de l'école...

— C'est ça, grommela-t-il. De l'opinion des adultes.

— Non, Jean. De l'opinion des gens qui s'intéressent à toi.

— Vous ne vous intéressez pas à moi! Sinon, pourquoi voudriez-vous m'envoyer?

— Parce que nous avons essayé de te guider, dit son père d'une voix lasse, et que nous n'avons pas réussi. Tu as besoin d'être guidé, mon garçon.

— Je n'ai besoin de rien, cria-t-il en sentant les larmes lui monter aux yeux. Je n'ai surtout pas besoin du collège privé. Et je n'ai pas besoin de vous!

Le petit monde qu'il s'était fabriqué s'écroulait. Ses larmes se mirent à couler et il quitta la pièce en courant.

— Vois les choses du bon côté, disait Luc. Dis-toi qu'il te reste une bonne dizaine de jours de liberté totale.

— Oui, bien sûr.

Jean avala une autre gorgée de bière, mais même la bière ne le réjouissait pas, ce soir. C'était vendredi, après le travail, et ils étaient dans la chambre de Luc. Jean fêtait aujourd'hui son quinzième anniversaire. Ses parents avaient souligné l'événement par une carte et un chandail que sa mère lui avait tricoté. Ils avaient eu l'intention de célébrer quand Jean rentrerait du travail mais il leur avait dit sèchement qu'il avait d'autres projets. Il célébrait donc avec Luc, en écoutant de la musique à tue-tête et en s'enivrant, comme d'habitude.

Il n'avait pratiquement pas parlé à ses parents depuis leur dispute une semaine auparavant. Il avait tenté d'imaginer des moyens d'échapper au collège mais, à part la fuite, il n'avait rien trouvé. Il avait donc décidé qu'au moins il leur rendrait la vie aussi difficile qu'ils la lui avaient rendue. Et ça marchait. Sa mère pleurait presque sans arrêt et son père avait la mine de quelqu'un qui souffre d'insomnie. Au fond, il savait qu'il était cruel. Mais il était si absorbé par sa propre peine qu'il ne pouvait penser qu'à lui.

Il rentrait rarement à la maison, ne disait jamais à ses parents où il allait et buvait presque chaque soir. Un jour, des policiers étaient venus chez Luc parce que ses parents le cherchaient désespérément. Luc n'avait pas apprécié, croyant à une perquisition.

— Écoute, bonhomme, fais pas cette tête-là, lui dit Luc en lui lançant une autre bière.

Mais comme Jean était déjà ivre, il ne réagit pas à temps et la canette roula sur le plancher. Il la ramassa et fut éclaboussé de mousse en l'ouvrant. Luc pouffa de rire mais Jean n'y voyait rien de drôle. Luc perdit la face.

— Écoute, mon vieux, c'est pas pour t'offenser mais... t'es déprimant.

— Excuse-moi, répondit Jean.

Il était vraiment reconnaissant à Luc de lui offrir l'hospitalité mais il sentait que son ami commençait déjà à se détacher de lui. Après tout, il avait des tas d'amis et tout ce qu'il allait regretter de Jean, c'était son argent. Luc lui avait en effet tapé plein de fric au cours des derniers mois. Malgré tout, Luc allait beaucoup lui manquer. C'était son seul ami et personne d'autre, à l'école, n'était au courant de son départ. Il n'avait pas cru bon d'en parler aux autres, se plaisant à imaginer ce qu'ils penseraient, dans une semaine, quand il ne serait plus là. Mais peut-être bien que personne ne s'en apercevrait.

Il savait qu'il devait l'annoncer à Épine. Comme il avait travaillé pour la dernière fois ce soir, il lui restait un dernier paiement à lui verser. Ses parents recommenceraient à lui donner ses dix dollars d'allocation par semaine, alors il pourrait lui en remettre la moitié. Mais c'était loin du compte. Il savait qu'elle avait mis l'argent de côté pour acheter à Emma ce dont elle avait besoin. Cinq dollars par semaine, c'était quasi une insulte.

— Mon vieux, t'es dans la lune.

Il entendit Luc rire à l'autre bout de la pièce. Il s'allongea sur le vieux divan qui était devenu son lit et ferma les yeux. Il savait qu'il ne serait pas long à s'endormir.

En glissant dans le sommeil, il souhaita ne jamais se réveiller.

Chapitre 15

Épine et Jean étaient accoudés à une table dans la cafétéria. Malgré les durs moments qu'ils avaient connus, il était surpris qu'Épine soit toujours celle qui savait le mieux le comprendre quand les choses allaient au plus mal pour lui. Elle prit bien la nouvelle et se montra franchement désolée pour lui.

— Je regrette seulement pour l'argent... commença-t-il.

— Oublie ça. Ce n'est pas comme si tu l'avais fait exprès. Elle se mit à rire. Tu ne trouves pas ça étrange? Parfois on agit vraiment pour le mieux, et on se rend compte ensuite qu'on a fait une énorme erreur.

Jean s'aperçut qu'il tremblait.

— C'est si bon de te parler.

La seule autre personne à qui il parlait était Luc mais il se fatiguait vite de ce qu'il appelait «les mélodrames de Jean».

— Alors, cette semaine c'est la dernière fois que je te paierai. Ensuite, on reviendra à cinq dollars par semaine.

— Oh! cinq dollars par semaine c'est pas mal. Et je vais travailler à plein temps l'été prochain.

— Moi, je suppose que je retournerai au camp. Je serai moniteur, cette fois. La paye n'est pas énorme mais je pourrai te l'envoyer presque en entier. Il n'y a vraiment pas d'occasions de dépenser, là-bas.

Il s'aperçut qu'Épine le fixait avec une expression de tristesse.

— Tu sais quoi? dit-elle d'un air surpris. Tu vas me manquer.

Elle se pencha pour l'embrasser et Jean enfonça ses ongles dans ses paumes pour ne pas pleurer.

— Tu vas me manquer aussi, et Emma. Je sais que je ne suis pas allé la voir aussi souvent que j'aurais dû, mais... en tous les cas, vous allez me manquer toutes les deux.

— Parlant d'Emma, elle a un gros rhume depuis quelques jours. Il faut que j'aille appeler sa gardienne, dit Épine en s'excusant.

— Épine? Est-ce que je peux venir la voir, avant de partir?

— Bien sûr, quand tu veux, dit-elle en se levant.

Il la regarda s'éloigner et sentit les larmes lui monter aux yeux. Mais il les ravala en se mordant la lèvre. Puis il sortit de la cafétéria.

Jean faisait le ménage de son casier, avec Luc derrière lui. On était mardi et il devait quitter Degrassi dans quatre jours. Il ne savait pas trop pourquoi il se hâtait de nettoyer son casier mais il se disait qu'il valait mieux en faire un peu chaque jour.

— Écoute, disait Luc, le groupe se sépare après la tournée. C'est ta dernière chance de les voir.

— Je regrette. J'aimerais vraiment y aller mais Épine compte sur cet argent.

— Pour une fois, ça ne fera pas une grande différence.

— Mais c'est la dernière fois que je lui donnerai vingt dollars, dit-il en tâtant le billet dans sa poche.

— Raison de plus. Elle a dû se faire à l'idée. C'est ta dernière fin de semaine à Toronto. Tu dois faire la fête.

Jean réfléchissait. Ce serait bien de faire la fête. Ses parents devaient le conduire à Strathcona dimanche matin et le concert avait lieu samedi soir. S'il n'y allait pas, il devrait passer toute la soirée à la maison avec eux.

— Je suppose que tu ne peux pas... m'avancer l'argent?

Luc lui avait «emprunté» plus de cent dollars depuis qu'il travaillait chez Jo et Jean n'en avait jamais récupéré un sou.

— Non, excuse-moi, dit Luc d'un air coupable. Je suis à sec. J'ai juste ce qu'il faut pour payer le billet. Mais je te rembourserai tout ce que je te dois, tu sais. Promis. Je te l'enverrai à ton collège.

Jean le regarda fixement. Luc tenta de soutenir son regard mais il baissa les yeux. Ils savaient tous les deux qu'il ne rembourserait jamais.

— Tu vas adorer le concert, ajouta-t-il vivement. Tout le monde se parle et fait des blagues, même sans se connaître. C'est comme une grande fête.

Jean écoutait avec intérêt. Peut-être avait-il besoin d'une grande fête, avant de partir pour ce stupide collège. Après tout, il avait déjà donné près de trois cents dollars à Épine. C'était beaucoup d'argent pour un garçon d'à peine quinze ans.

— Tu sais quoi? dit Luc. Tu paies le billet et je me charge des petits à-côtés.

Une étincelle brilla dans les yeux de Jean.

— Tu vas apporter de la bière?

— Mieux que ça.

— De la mari? Du hasch?

— Mieux que ça.

— Quoi, alors?

— De l'acide.

— De l'acide? Je ne sais pas si...

— Tu dois l'essayer, juste à titre d'expérience. Tout le monde le fait, dans un concert.

— Ah oui? Tu as déjà essayé?

— Mais oui, des tas de fois.

Jean tentait de s'affairer au ménage de son casier.

— Je te l'offre, c'est tout, dit Luc. Je vais en avoir de toute façon, de Michel. Libre à toi d'en prendre ou non. Mais si tu acceptes... ce sera comme mon cadeau de départ.

Sur ce, Luc se détourna et fit mine de partir. Jean restait figé sur place, essayant de penser rapidement.

— Hé! Luc, cria-t-il.

Il fouilla dans sa poche et tendit à Luc les vingt dollars qu'il devait remettre à Épine.

— Tiens! Prends-moi un billet.

Luc eut un air réjoui.

— Super! Tu ne le regretteras pas, bonhomme. Ça va être une soirée du tonnerre.

Pendant que Luc disparaissait dans le couloir, Jean se remit à son nettoyage, souriant. Après tout, c'était son argent et c'était normal qu'il s'offre du bon temps la veille de son départ. Tout ce qui lui restait à faire, c'était de prévenir Épine.

Il lui parla le mercredi.

— Je... je n'ai pas eu mon chèque de paye comme je le pensais, mentit-il. Jo va me l'envoyer à Strathcona.

— Eh bien! tant pis, dit Épine en essayant de ne pas paraître trop déçue. Ce n'est pas ta faute. Je devrai juste attendre encore un peu avant d'acheter à Emma sa combinaison d'hiver. Elle pousse tellement vite!

En s'en allant, il se sentait comme un vrai bon

à rien. Mais il pouvait difficilement retourner en arrière, surtout que Luc avait déjà acheté le billet. Pourtant, les rumeurs couraient si vite à Degrassi qu'Épine découvrit la vérité.

Le vendredi après-midi, Luc et lui étaient en train de conspirer dans la bibliothèque.

— As-tu la marchandise? murmura Jean.

— Non, je n'ai pas pu trouver Michel. Mais je sais qu'il sera au concert.

— Alors... comment c'est?

Jean y avait pensé toute la semaine et n'avait pas encore décidé s'il essaierait ou non.

— C'est incroyable! Ça prend environ une demi-heure avant de faire effet. Puis tu commences à partir et, au bout de deux heures, tu atteins le sommet et tu te mets à planer.

— Ah oui? C'est super!

Il ne pouvait rien imaginer qui puisse lui procurer autant de bien-être, surtout après les deux dernières semaines qu'il venait de passer. La bière ne lui donnait plus le sentiment d'être une autre personne; peut-être que l'acide y parviendrait.

— Quelle merveilleuse façon de passer ma dernière soirée ici!

— Jean! entendit-il soudain.

Il se retourna et vit Épine qui se tenait derrière lui, l'air rageur.

— Espèce de menteur! dit-elle à haute voix. Tu m'as dit que tu ne pouvais pas me donner l'argent parce que tu n'avais pas reçu ta paye.

Les têtes se tournèrent dans leur direction. Jean se dit que la dernière chose dont il avait besoin ici à Degrassi était une autre scène.

— Épine, chuchota-t-il, espérant que ça lui ferait baisser le ton.

Mais rien n'y fit.

— Si tu n'as pas reçu ta paye, alors comment peux-tu t'offrir un billet de concert de vingt dollars?

Jean se sentit rougir. Il regarda Luc qui secouait la tête.

— Eh bien! pourquoi pas? J'ai droit à ma vie et c'est mon argent.

— Alors pourquoi ne pouvais-tu pas être honnête et dire tout simplement la vérité, pour faire changement?

Tout le monde les regardait, même la bibliothécaire, madame Baxter. Jean souhaitait qu'elle demande à Épine de parler plus bas mais, pour une raison incompréhensible, elle semblait collée sur sa chaise. Il aurait voulu disparaître.

— Tu te fiches éperdument de moi et d'Emma, lança Épine avec rage.

— Ce n'est pas vrai!

— Ce n'est pas la peine que tu viennes la voir avant ton départ. Et dis-toi que tu ne la reverras plus jamais.

— Épine! implora-t-il.

— Je croyais vraiment que tu avais changé. Tu te prends pour quelqu'un de bien, pour quelqu'un qui a de la maturité, déclama-t-elle. Mais derrière ta petite façade, tu n'es qu'un beau salaud.

Elle avait mordu dans le dernier mot. Puis elle tourna les talons et sortit de la bibliothèque avec éclat. Il y avait un silence de mort et madame Baxter retrouva enfin sa voix.

— Ça va, tout le monde. Reprenez votre travail.

Lentement, les élèves retournèrent à leurs travaux. Jean entendit un petit rire narquois. Il sentait qu'il commençait à trembler. Il se leva et quitta la bibliothèque. Il lui restait encore deux cours cet après-midi, mais à quoi bon?

Il sortit de l'école Degrassi et dévala les marches. Une fois sur le trottoir, il se retourna et dit adieu à l'édifice de brique rouge.

Chapitre 16

Le soir du concert, Jean s'habilla avec soin. En fouillant dans sa garde-robe, il regardait tous les vêtements qu'il s'était achetés et qu'il laissait derrière lui. Dès lundi, à Strathcona, il porterait un pantalon et un blazer bourgogne, une chemise blanche et une cravate bleu marine. L'année dernière il s'en serait peu soucié, mais maintenant qu'il s'était trouvé un style, il regrettait de devoir porter un uniforme.

Il opta finalement pour l'une de ses chemises teintes et enfila par-dessus son vieux blouson en jean et son gilet de ski. Il regarda sa montre et se hâta car il devait rencontrer Luc et quelques amis à l'entrée du stade dans une demi-heure.

Au souper, quand sa mère lui avait demandé s'il sortait, il s'était contenté de répondre oui sans donner de détails. Ses parents s'étaient regardés et son père avait simplement dit :

— Tâche d'être de retour avant une heure demain. Je serai revenu de l'église à ce moment-là et nous partirons aussitôt.

Jean fit un petit calcul mental et se dit qu'il ne rentrerait pas avant deux heures.

— As-tu besoin d'aide pour finir tes valises? demanda sa mère.

— Non.

Un peu plus tard, en descendant l'escalier, il l'avait entendue parler au téléphone à sa meilleure amie.

— Nous adorons Jean, Stéphanie, mais je crois sincèrement que le collège lui fera du bien. Et à Steven aussi, d'ailleurs, car sa santé m'inquiète depuis quelque temps. Il se croit responsable de tout ce qui est arrivé. Il n'est plus tout jeune, tu sais. Ça lui fera du bien que Jean s'éloigne un certain temps.

Il dévala le reste des marches en faisant le plus de bruit possible et claqua violemment la porte derrière lui, pour qu'elle sache qu'il avait tout entendu.

Il n'avait jamais assisté à un concert rock auparavant et fut très impressionné dès sa sortie du métro. Il se trouvait à proximité du stade et c'était plein de jeunes autour de lui qui s'en allaient au concert. Des éclats de joie fusaient de partout et il se laissait porter par la foule en se disant que Luc avait raison : c'était comme une grande fête.

Il l'aperçut de loin qui parlait avec Michel. Il ralentit le pas car il ne voulait pas que Luc lui demande de l'argent à la dernière minute. Il avait tout juste assez pour reprendre le métro. Mais Michel tournait déjà les talons et Luc, l'apercevant, vint à sa rencontre. Avec son air le plus détaché, il lui mit quelque chose dans la main.

— De l'acide! dit Jean un peu trop fort.

— Fais pas l'idiot, bonhomme. Mets-le dans ta poche.

Tim, un garçon noir sympathique qui allait à l'école avec eux, vint les retrouver. Jean savait que c'était aussi son premier concert et se sentit plus à l'aise, mais contrairement à lui, Tim n'était pas gêné de l'avouer.

Incapable de résister à la curiosité, il ouvrit la main et regarda les deux petits bouts de papier qui s'y trouvaient.

— Je croyais que ce serait une capsule.

Tim écarquilla les yeux.

— De la drogue? Vous prenez de la drogue, les gars?

Ni lui ni Luc ne répondirent. Sans trop savoir pourquoi, Jean était fier qu'ils soient ensemble dans cette galère.

— Alors, on prend ça comment? demanda-t-il d'un air crâneur.

— Tu l'avales, c'est tout.

— Tu avales du papier? dit-il un peu réticent.

Luc s'impatienta.

— Écoute, si tu ne peux pas avaler un bout de

papier, tu n'es peut-être pas prêt pour l'acide.

Tim revint à la charge.

— Vous êtes fous, les gars. Ce truc est dangereux.

— Ouais, ouais, fit Luc.

Regardant les bouts de papier dans le creux de sa main, Jean ne pouvait croire qu'une si petite chose puisse être dangereuse.

— Ils mêlent du LSD avec de la strychnine, dit Tim, alors l'acide reste dans l'organisme. Vous savez ce que c'est, de la strychnine?

Jean lança un coup d'oeil à Luc, qui secouait la tête avec indifférence.

— De la mort-aux-rats! Ça tue les rats, et dans d'horribles douleurs. Ça peut tuer les humains aussi!

Jean riait jaune.

— Euh... dis donc, Luc, c'est peut-être pas une si bonne idée?

— Relaxe. J'en ai déjà pris et je me porte bien.

En disant cela il mit les deux bouts de papier dans sa bouche et les avala. Il ajouta à l'intention de Jean, avec une fausse sincérité :

— T'es pas obligé de le faire, si tu ne veux pas.

Jean regarda Tim, puis Luc.

— Je ne suis pas une poule mouillée, dit-il.

Mais il n'arrivait pas à se décider. Il regardait toujours les bouts de papier dans le creux de sa main.

— Prends-en un seul, pour une première fois, dit Luc. Tu garderas l'autre pour un mauvais jour.

Jean se décida enfin à avaler l'un des bouts de papier, et après une hésitation il avala l'autre aussi. Luc, surpris, éclata de rire.

— Mon vieux, tu vas planer ce soir!

Tim se contenta de secouer la tête. D'autres jeunes de l'école, dont Joey et Anguille, s'étaient joints à eux.

— Alors, on est prêts? lança Joey.

— Tu parles! dit Luc en lançant un clin d'oeil à Jean.

— Allons-y! C'est la fête!

Ils se dirigèrent tous vers le concert en chantant. Jean avait le sourire aux lèvres. La soirée allait être formidable.

Le groupe n'avait pas encore commencé et la foule s'agitait. Les gens applaudissaient et tenaient des briquets allumés au-dessus de leurs têtes. Des centaines de flammes scintillaient dans l'obscurité du stade.

Jean était un peu déçu et il le dit à Luc à voix basse :

— Ça fait une demi-heure et je ne sens toujours rien.

Luc sembla trouver cela hilarant et pouffa de rire.

— Ce ne sera pas long, je t'assure. Tu as dû prendre un trop gros repas.

Il examina Jean et éclata de rire encore une fois.

— Tu as l'air tellement drôle, hurla-t-il.

— Ah oui? Comment ça? Qu'est-ce que tu veux

dire?

— Tout le monde a l'air bizarre.

Une rumeur monta tout à coup de la foule. Jean regarda en direction de la scène, qui semblait à des kilomètres, et aperçut des personnages gros comme des fourmis. Il se mit à les acclamer lui aussi. Puis, dès qu'ils attaquèrent leur première chanson, il fut frappé comme s'il avait reçu une gifle. Les visages autour de lui devinrent irréels, les traits, disproportionnés et convulsés. Il pouvait à peine entendre la musique. Tous les instruments semblaient se fondre en un seul. Il retomba dans son fauteuil et resta immobile pendant une vingtaine de minutes, suant à grosses gouttes.

— Ça va? lui demanda Joey.

— Oui... oui, ça va...

Luc se pencha vers lui.

— Ça ira mieux dans quelques minutes, lui cria-t-il. C'est toujours étrange, la première fois.

Jean grimaça un sourire, sans bouger de son siège. Dix minutes s'écoulèrent, puis il se leva enfin et regarda autour de lui. Ses amis avaient toujours des visages verdâtres de fantômes. Mais il n'avait plus peur et trouvait au contraire que c'était très comique. C'était un vrai spectacle en soi de regarder les gens dans la foule. Un de ses voisins se mit à chanter et sa bouche semblait se tordre. Jean trouvait qu'il avait l'air d'un chimpanzé et se mit à rire de plus belle.

Puis le son le frappa tout à coup et il se tourna

vers la scène. Jamais il n'avait entendu de meilleure musique. Et non seulement il l'entendait, mais il la sentait; elle résonnait dans tout son corps et le son de la basse semblait couler dans ses veines.

Tandis qu'il regardait les musiciens, il vit la scène se transformer en une série de cubes mauves et verts. Même les musiciens étaient en forme de cubes. C'était magnifique et il voulait que l'image dure. Puis il eut un désir irrésistible de se rapprocher de la scène. Tout le monde était tellement absorbé que personne ne le vit quitter son siège et avancer d'un pas décidé. Mais il n'alla pas très loin car, dès qu'il essaya d'enjamber l'autre niveau de sièges, un énorme garde l'arrêta. Jamais il n'avait vu d'homme aussi gros. Il n'insista donc pas et se rangea sur le côté.

Il y avait longtemps qu'il ne s'était pas senti aussi sûr de lui et aussi heureux. Tout tournait au ralenti et il voulait que la soirée dure indéfiniment.

Il se retrouva sur un vieux pont, en train d'admirer la vallée qui s'étendait sous lui. Il supposa qu'une rivière avait dû y couler jadis, et qu'elle s'était asséchée avec le temps.

Il était aussi haut qu'un cerf-volant, sans trop savoir où il se trouvait. Il avait perdu ses amis quelque temps auparavant et errait sans but depuis. Soudain, une horrible pensée lui traversa l'esprit. Luc et les autres avaient-ils fait exprès de le perdre? Peut-être qu'ils étaient tous en train de s'amuser quelque part et de rire à ses dépens?

Puis il eut le vague souvenir de s'être lui-même séparé du groupe, ce qui le rassura. Son coeur retrouva un rythme plus normal et il se dit qu'il allait bientôt essayer de voir où il était. Mais pour l'instant il ne voulait que profiter de ce qu'il voyait et entendait. Tout semblait tellement plus gigantesque et tellement plus beau sous l'effet de l'acide. Même le son d'une vieille boîte de conserve qu'il frappait du pied depuis sa sortie du stade était magnifique. Il baissa les yeux et la frappa de toutes ses forces. Elle vola par-dessus le parapet du pont et il la regarda descendre dans la vallée. Elle voltigea lentement dans les airs avant d'aller se poser gracieusement sur le sol.

Il se dit qu'il pourrait en faire autant. Pour la première fois de sa vie, il sentait qu'il pouvait faire n'importe quoi. S'il se tenait debout sur la rampe et agitait les bras, il pourrait même s'envoler. Ah! s'envoler de Toronto vers un pays lointain, vers une nouvelle vie! Il n'aurait pas besoin d'aller au collège et ses parents n'auraient plus jamais à s'inquiéter de lui. Et Épine serait libre de mener sa vie comme elle l'entendait avec Emma.

Ils le détestaient tous, se dit-il. Même Emma le détesterait sans doute en grandissant. Sa mère lui dirait du mal de lui et il ne serait pas là pour se défendre. Si jamais ils se rencontraient un jour, il pouvait imaginer la haine et le dégoût qui brilleraient dans ses yeux.

Il n'avait plus d'amis. Luc n'était pas un véritable ami, Charlie était à des kilomètres de là, et tout le monde se moquait de lui à l'école.

— Je suis un imbécile! dit-il en riant à haute voix. J'ai tout gâché.

Il regardait toujours en bas dans la vallée. Tout ce qu'il faisait tournait mal. Il était destiné à être un mouton noir, un éternel fauteur de trouble.

Il éclata de rire et entendit l'écho de sa voix monter de la vallée.

— La plupart des gens réussissent à se faire des amis qui leur ressemblent, mais pas moi. De toute façon, je n'ai pas besoin d'eux! cria-t-il. Je n'ai besoin de personne!

Il grimpa sur le garde-fou et, s'agrippant d'une main à une poutre, il se laissa balancer. Quelle merveilleuse sensation!

— Le collège privé! murmura-t-il avec rage. C'est ridicule. Ils vous enlèvent votre individualité pour vous transformer en robot.

Et il se remit à rire. Pourquoi se soucier de son individualité, de toute façon? Chaque fois qu'il essayait d'agir comme un individu, il se mettait à dos tous les gens qu'il aimait. Y compris lui-même.

Soudain, il eut peur. Il était comme pris au piège et voulait se libérer. Il regarda en bas. C'était tout une chute, se dit-il. Il perdit l'équilibre et s'accrocha à la poutre d'acier. Il mit quelques minutes à se calmer. L'air avait refroidi, mais il ne sentait rien. Un petit oiseau vola devant lui et il le regarda, fasciné. Il volait avec tant de facilité, il avait l'air tellement libre.

Il lâcha la poutre et, pliant légèrement les genoux, il se mit à battre lentement des ailes, comme l'oiseau. Puis un coup de vent le poussa et il perdit l'équilibre. Terrifié, il essaya de rattraper la poutre.

Mais il était trop tard. Il s'était déjà envolé.

Pendant longtemps il n'y eut que l'obscurité. Puis il se mit à rêver.

Le rêve revenait sans cesse, par fragments. Il était dans une chambre où tout était blanc. Même les gens qui entraient et sortaient étaient vêtus de blanc. Ils semblaient planer tellement ils étaient calmes. Tout était paisible.

Des gens qu'il connaissait se mirent à entrer dans la chambre de son rêve. Ses parents étaient là et ne semblaient jamais quitter la pièce. Carl y venait parfois, de même qu'Épine. Il y avait également des élèves de l'école Degrassi qui entraient dans son rêve. Une fois, il avait même cru voir Charlie.

C'était un beau rêve. Tous ces gens semblaient plein d'amour et de tendresse à son égard.

Puis, au bout d'un certain temps, le rêve se mit à changer. Il avait toujours été silencieux, comme un film muet, mais graduellement des sons se firent entendre. Des voix tournaient en rond dans sa tête comme une boucle sans fin. Des voix inconnues qui venaient des mystérieux personnages en blanc et auxquelles se mêlaient des voix familières. Il était sûr d'avoir entendu la voix de son père.

— Jean... Jean, s'il te plaît... nous t'aimons tant...

— ... Steven, je t'en prie, rentre à la maison. Je vais rester...

— ... Tout le monde s'ennuie de lui à l'école...

— ... Deux semaines dans le coma...

Coma! Le mot l'avait secoué. Il fouilla en vain tous les recoins de son cerveau embrumé, mais ça le fatiguait tellement... Il replongea dans le sommeil.

Puis il se souvint. Il avait flotté longtemps dans un sommeil qui semblait se situer quelque part entre la vie et la mort, où tout était calme, facile et paisible.

Mais maintenant que la mémoire lui revenait, sa paix était troublée. Il se rappelait le bébé, ses querelles avec ses parents et avec Épine. Il se rappelait Luc et leurs nombreuses nuits à boire, et l'acide. Tout lui revenait. C'était comme s'il regardait un collage des deux dernières années de sa vie. Comme ce collage était déprimant! Surtout la dernière image : il se voyait perdre l'équilibre, tomber du pont et descendre à pic sur le sol dur.

— Pourquoi ai-je fait ça? se reprocha-t-il. J'aurais pu mourir!

L'horreur lui apparut soudain.

— Peut-être que c'est ce que j'essayais de faire? Peut-être que je voulais mourir?

Il se sentit effrayé.

— Veux-tu mourir? se demanda-t-il.

Le silence emplissait sa tête. Puis, tout à coup, un «Non» retentissant résonna dans son cerveau, fort et énergique.

— Non! dit-il encore. Je ne veux pas. Je veux une seconde chance.

— ... Jean, est-ce que tu m'entends?....

Il aurait voulu se réveiller. Il voulait savoir où il était, si ces voix étaient réelles. Mais il avait peur. Il se demandait à quel point il s'était amoché. Pourrait-il marcher de nouveau? Jouer au basket? Aller à l'école? Il voulait des réponses, même s'il savait qu'elles ne lui plairaient peut-être pas.

Il se sentait abattu, comme quand il était petit et qu'il avait une grosse fièvre. Il se sentait sur le point de tomber dans un sommeil intermittent duquel il ne pourrait plus sortir. Il rêvait qu'il était éveillé et qu'il parlait avec les gens qui l'entouraient. Mais il comprit que ce n'était qu'un rêve et qu'il n'avait pas parlé.

Puis un jour ce ne fut plus un rêve. Quelqu'un le pinçait. Très fort. Il avait vaguement conscience que ce n'était pas la première fois qu'on le pinçait pour le réveiller, mais c'était la première fois que ça lui faisait mal. Il tenta de frapper la main qui le pinçait. Comme ça ne marchait pas, il essaya de crier.

— Oh! fit une voix qui lui parut étrangère.

Mais c'était la sienne. Et il aperçut des formes embrouillées près de lui. Il était réveillé!

Il savait qu'une longue lutte s'annonçait. Mais ça ne l'inquiétait pas. Pour l'instant, une seule chose comptait pour lui.

Il avait ouvert les yeux.

FIN

NOTES SUR L'AUTEURE

Susin Nielsen est née en 1964 et vit à Toronto, en Ontario, en compagnie de ses deux gros chats. Elle a obtenu en 1985 un diplôme en arts télévisuels du collège Ryerson.

Au cours des deux dernières années, elle a principalement travaillé comme scénariste pour la série de télévision *Degrassi Junior High*, où elle apparaît d'ailleurs à l'occasion dans le rôle de Louella, la concierge.

Dans ses moments libres, elle s'intéresse aux domaines du cinéma et de la musique à Toronto, lit avec voracité, apprend le suédois et voyage en abondance. Elle a écrit *Jean*, sous le titre anglais de *Shane*, au cours d'un séjour de trois mois à Stockholm, en Suède.

Dans la même collection

. Joey Jeremiah

. Sortie côté jardin

. Épine

. Jean

. Mélanie (à paraître)

. Lucie (à paraître)

. Stéphanie Kaye (à paraître)

. Catherine (à paraître)

ACHEVÉ D'IMPRIMER
EN JUILLET 1991
SUR LES PRESSES DE
PAYETTE & SIMMS INC.
À SAINT-LAMBERT, P.Q.